JE GAAT HET PAS ZIEN ALS JE HET DOORHEBT

PIETER WINSEMIUS

JE GAAT HET PAS ZIEN ALS JE HET DOORHEBT

Over Cruijff en leiderschap

UITGEVERIJ BALANS

2004

26e druk, 2005

Omslagontwerp: Studio Jan de Boer
Omslagfoto: © Baliellas/Corbis Sigma
Vormgeving en zetwerk: Jos Bruystens

ISBN 90 5018 7528
NUR 491

www.uitgeverijbalans.nl

INHOUD

VOORAF

Over echte en onechte mensen

Er zijn twee soorten mensen: echte mensen en onechte mensen. Johan Cruijff is echt. Dat weet je gewoon. Als je hem op de televisie een wedstrijd ziet analyseren, let je op. Zelfs als je het niet allemaal begrijpt, weet je dat hij gelijk heeft. Uiteindelijk heeft hij het voetballen toch uitgevonden.

Acteur Ton van Duinhoven legde mij ooit het verschil uit tussen echte en onechte mensen. Je ziet dat aan ze, zei hij. Sommige mensen zeggen iets en je weet niet waar ze het over hebben, maar het is waar. Omdat ze echt zijn. Andere mensen verkrampen, zijn zichzelf niet. Het zijn soms op het persoonlijke vlak heel aardige mensen, maar als leiders zijn ze onecht. Van Duinhoven, zelf een groot voetbalfanaat – zijn vertolking van een Feyenoord-suppoost is legendarisch – keek op de televisie naar politieke toppers en voormannen uit het bedrijfsleven. De meesten van hen kende ik persoonlijk. Hij bleek mij meer over hen te kunnen vertellen dan ik al wist, maar ik herkende wat hij zei. Lichaamstaal noemen ze dat, en als vakman beheerst Ton die taal. Als leek heb je daar meer moeite mee. Je ziet daardoor niet precies wat die mensen echt of onecht maakt, maar je voelt het wel.

Naar echte mensen luister je en je wilt ze begrijpen. Bij Johan is dat het geval. Soms begrijp je hem van geen kant. Je klappert met je oren en hoort alleen de – laten we zeggen – onorthodoxe uitdrukkingswijzen. Maar als je hem wilt begrijpen, dan kun je een hoop opsteken, niet alleen over voetbal, maar ook over leiderschap.

Op de vraag waar het om draait in het leven, antwoordde Johan ooit: 'Dat is hoofdzakelijk dat iedereen er is om het meeste uit zichzelf te halen, wat dat ook mag zijn.' Een leider die het maximale uit zichzelf wil halen, weet dat hij dat niet kan zonder de mensen om hem heen. Daarover gaat dit boek: hoe haal ik het maximale uit mezelf en uit de mensen om mij heen. Cruijff was daarin een grote. Als speler en als coach bereikte hij de wereldtop. Als je goed luistert naar zijn voetbalverhalen en naar die van de mensen om hem heen, dan kun je leren van hun succes. Dat vereist wel wat inspanning want, in Cruijff's woorden, 'je gaat het pas zien als je het doorhebt'.

Johan is een ervaringsdeskundige. Hij vertrouwt op zijn intuïtie, de ervaring die niet in woorden is uit te drukken, maar waarover hij wel degelijk beschikt. Dat soort inzicht lijkt hem vanzelfsprekend, maar is dat voor jou als argeloze toeschouwer meestal veel minder. Valt het kwartje eenmaal, dan ben je vaak blij verbaasd over het nieuwe inzicht in leiderschap. Dit boek richt zich op de speler/coach Cruijff en het leiderschap dat hij op en om het veld uitoefende. Ik heb hem vier vragen voorgelegd: Wat is het verschil tussen een goede en een slechte voetballer? Stel je hebt zestien goede spelers, heb je dan ook een goed team? Stel je hebt een goed team, waarom heb je dan nog een coach – of nu we toch bezig zijn: een directie of een raad van bestuur – nodig? En als afmaker: wat is het verschil tussen een goede en een slechte coach?

De spelregels zijn daarmee bepaald. Johan praat over voetbal; alle interpretatie is van mij, met inbegrip van de verwijzingen naar overheid en bedrijfsleven. Als lezer kunt u zelf bepalen of deze situaties van toepassing zijn op uw eigen omgeving. Wanneer dit niet het geval is, dan rest een aantal amusante voetbalverhalen van een van de grootste voetballers/coaches aller tijden, plus een serie anekdotes uit de 'normale' wereld, waarin de meesten van ons de kost verdienen.

Het schrijven van dit boek was een genoegen. Er bestaat een zeer uitgebreide Cruijff-literatuur met – uniek – ruim dertig jaar interviews. Ik heb daar blijmoedig gebruik van gemaakt. Ik kon bovendien bouwen op de technische en morele steun van mijn vriendin Marieke Groeneveld, het enthousiasme van mijn oud-collega's Froukje Wattel en Gert Jan van der Hoeven en de inhoudelijke inbreng van meelezers Albert, Anton, Arre, Carole, Donald, Ewald, Fiona, Gerard, Gijs, Jeroen, Joost, Kees, Marc, Martin, Menno, Mickey, Natascha, Ralph en Stephan.

De opbrengsten van dit boek gaan via de Johan Cruyff Foundation naar het straatvoetbal. Johan en ik hebben, met verschillend succes, daar veel tijd mee verspeeld en vooral plezier aan beleefd. Er zijn beroerdere manieren om op te groeien en wanneer veel jongens en – gelukkig steeds vaker – meisjes daarvan profiteren, is dit een prima boek. Ik hoop dat u er ook plezier aan beleeft.

I

HET VERSCHIL TUSSEN EEN GOEDE EN EEN SLECHTE VOETBALLER

Wat is het verschil tussen een goede en een slechte voetballer? Het antwoord komt, zoals alles bij Johan, met een vanzelfsprekendheid alsof hij deze vraag al honderd keer heeft beantwoord en wist dat jij hem ging stellen.

'In de eerste plaats moet een goede speler beschikken over veel techniek. Dat is de basis, want als je de bal niet kunt plaatsen of opvangen, heeft het verder allemaal weinig zin. Als die basis er is, kan je beginnen te denken over het goed-worden. Dan komen we automatisch bij discipline, gewoon je werk goed doen. En in de derde plaats, en ik denk het meest onderschat van de drie, is er dan het punt van karakter. Als je op een van deze drie punten achterblijft, is het maar beter een ander vak te leren. Een professional zal je dan nooit worden.'

Techniek, discipline en karakter: de drie-eenheid voor het vakdiploma topvoetbal. Je kunt je er op het eerste gezicht wat bij voorstellen. Techniek, alleen al de technische hoogstandjes. Met de buitenkant van de voet schieten bijvoorbeeld, miraculeuze baloefeningen die je ook in het circus wel ziet. Discipline: heette Rinus Michels niet de Generaal en was er niet die beroemde slagzin 'Voetbal is oorlog'? Ook daar komt wel een beeld van op je netvlies. En karakter vanzelfsprekend, het meest onderschatte punt dat stellig verband houdt met het straatvoetbal waar jong talent wordt gevormd en gehard.

De Meester pauzeert en kijkt je onderzoekend aan. Heb je het begrepen? Als ontvangende partij van zoveel wijsheid knik je. Maar zou hij het echt zo bedoelen als jij het hebt begrepen? Weinigen durven door te vragen, maar je moet toch iets, want anders sta je met je goede gedrag na tien minuten weer op de Middenweg. We gaan ervoor!

ÉÉN KEER RAKEN

'Techniek is niet duizend keer een bal hooghouden, want dat kan iedereen die er een beetje op oefent. Techniek is in één keer de bal doorspelen op de juiste medespeler.'

Eenvoud – zoals in het uitvoeren van taken op de meest efficiënte manier – kenmerkt toppers. Anderen kunnen het ook, maar bij de topper lijkt het zo vanzelfsprekend dat je vaak niet kunt uitleggen wat hij goed doet. Het is de kern van de boodschap van Cruijff en die is ook buiten het voetbal van wezenlijk belang. Te vaak wordt gedacht dat als iedereen de technische hoogstandjes van zijn vak goed beheerst – duizend keer de bal hooghouden of razendsnel spreadsheets op een computer fabriceren of een blitse presentatie houden – de rest vanzelf wel komt. Dit nu is, waar de meesten van ons hun brood verdienen in een teamsport en zeker als we ook nog topsport willen bedrijven, een vergissing.

Johan legt uit wat hij bedoelt met techniek: 'Het is een manier van denken. Begrijpen dat als je tijd wint, je meer controle hebt en je kan nadenken over wat je daarna gaat doen. Dat de makkelijke weg ook de meest effectieve weg is. Al de rest is leuk voor het publiek, maar op die manier win je geen wedstrijden.'

Er zit wat in, dat is duidelijk. Als de bal het werk doet, hoef je zelf minder te lopen en raakt je tegenstander van slag bij de confrontatie met zoveel samenwerking. De vraag is dus: wat kan de leider doen? Als je Johan gelooft – en waarom zouden we dat niet doen? – moet hij het antwoord zoeken in drie basisvereisten: focus, inzicht en tactiek. Het zijn mooie woorden, maar er zit een hoop wijsheid achter.

Behoud focus

Vroeger heeft iedereen wel eens met een vergrootglas gespeeld. Daarmee kun je de energie van heel zwakke zonnestralen bundelen op één punt, een schoenveter bijvoorbeeld die vlam vat en dan onbetamelijk stinkt. Een gekke gedachte: zwakke signalen die geconcentreerd worden in een brandpunt. Het is de essentie van focus.

Techniek is een manier van denken. Om de energie binnen je team te bundelen op de samenwerking op het veld, moet je alle afleiding buiten de poort zetten. Daartoe gelden twee voorwaarden:

De eerste is: **houd het simpel**. Het woordje simpel komt voortdurend terug als Johan over voetballen praat. Van 'Simpel voetballen is namelijk het allermoeilijkste, dat is het probleem van alle trainers' in 1974 via 'Die op het oog simpele oplossing blijkt in de praktijk het moeilijkst' en 'Simpel spelen is ook het mooiste' tot 'Voetballen is simpel, maar het moeilijkste wat er is, is simpel voetballen' in 1997, de boodschap is door de jaren heen steeds dezelfde.

Als je 't goed bekijkt, zegt Cruijff, werkt dat bal-hooghouden zelfs contraproductief: 'Iemand die in een wedstrijd de bal tien keer kan hooghouden, waardoor er altijd weer vier verdedigers van de tegenpartij op tijd terug zijn, dat is dan zogenaamd de goede voetballer met veel techniek. Ik zeg: dan moet je op het toneel.'

Het is opvallend – en tegelijk een belangrijk aspect van leiderschap – dat Jota's discipelen vaak bijna woordelijk de teksten gebruiken die De Meester erin ramde. Barry Hulshoff bijvoorbeeld, zelf inmiddels coach, vertelt vele jaren later: 'Veel mensen denken dat het voetbal is als je de bal in de lucht kunt houden door hem drieduizend keer omhoog te trappen. Maar dat is geen voetbal. Een goede speler is een speler die de bal maar één keer raakt. En weet waar hij heen moet rennen.'

Leo van Wijk, de huidige president-directeur van KLM, speelde vroeger met Johan in de jeugdselectie van Ajax. Hij voegt een belangrijk element toe: het woordje team. 'Je kunt een perfecte wedstrijd spelen, maar als team verliezen. Bij Ajax kregen we altijd te horen: "Als je met goochelen wilt opvallen, dan moet je Carré maar afhuren." Het is waar: een resultaat is alleen te bereiken door samen te werken met anderen.'

Later ging Van Wijk voetballen in zijn woonplaats Nieuw-Vennep. Ballen kwamen steevast een paar meter 'fout'. 'Er werd veel minder gevoetbald. Ik had daardoor de grootste moeite m'n vertrouwde eigen niveau te halen. Op dat moment realiseerde ik me eens te meer dat mijn kwaliteit totaal afhankelijk is van die van m'n medespelers. Als ik in een team tien keer beter ben dan de anderen, verbleekt mijn kwaliteit snel. Dat gaat op voor sport, maar ook voor het bedrijfsleven.'

Rechtsbuiten Tscheu-la Ling, zelf een supertechnicus, benadrukt dat zelfs Johan het niet alleen kon. 'Dat heb je gezien bij Levante, in Amerika en in nog een Spaanse club. Dat was één brok ellende. Daar had hij onvoldoende kwaliteit om zich heen om zijn prestatie en kwaliteiten naar voren te laten komen. Bij Ajax was dat wél het geval. Cruijff is evenzeer een product van Ajax, als Ajax een product van Cruijff is.'

Cruijff brengt een scherpe scheiding aan tussen werk en privé, het siert hem. Een enkele maal waait echter een flard over, waaruit blijkt dat hij thuis zijn leest breder definieert dan in zijn publieke optredens. In huiselijke kring gaf hij bijvoorbeeld onderricht aan babyverzorgers, aan paardrij-instructeurs en aan golfprofessionals.

Het mooiste verhaal over zijn brede adviespraktijk is echter afkomstig van Bert Hiddema, de schrijver van het onvolprezen jongensboek *Cruijff! Van Jopie tot Johan.* Ik kan niet instaan voor de waarheid, maar hij is meestal betrouwbaar. Bovendien is het verhaal over de afloop van de eerste keer dat Johan uitgaat met Danny te mooi om te laten lopen:

'Heb je morgen wat te doen?' vraagt hij schielijk als ze uitstapt.

'Ik geloof het niet... Hoezo?'

'Zullen we... samen... naar de film gaan?'

Ja gezellig, denkt ze spottend. Maar ze zegt: 'Mij best.'

'Zorg dan wel dat je een rok aan hebt die iets langer is.'

'Langer?' vraagt ze met droge keel.

'Twintig centimeter.'

Ze opent haar mond.

'Minstens,' zegt hij.

Terwijl ze wegloopt, kijkt hij haar na. Ze hoort hem zeggen: 'En al die make-up hoeft voor mij ook niet.'

Solisten winnen nooit, teams waar iedereen de bal één keer raakt, winnen. Leiders moeten die teams in hun denken en handelen voorop stellen. Te vaak worden de klant – Johan's publiek – en de mensen in de frontlinie – het team dat op het veld het publiek tevreden moet houden – uit het oog verloren. Zou dat overigens ook elders niet moeten gelden? Bijvoorbeeld in het onderwijs of de gezondheidszorg, die zodanig zijn 'dichtgeregeld' door ongetwijfeld goedwillende ambtenaren en belangenbehartigers, dat er in het veld geen doorkomen meer aan is? Bijvoorbeeld bij de verzekeraars en pensioenvoorzieners die, deels gedwongen door overheidsregels, enorme aantallen kleine lettertjes op ons afvuren? Het zijn maar vragen en we beginnen pas.

De tweede voorwaarde voor het behouden van focus is: **concentreer je spelers op hun kerntaken**. Het leven is al moeilijk genoeg en om op topniveau te presteren, moet je het niet onnodig nog moeilijker maken. Johan heeft zich daarom, op een enkele uitzondering na, strak gehouden aan een schoenmaker-houd-je-bij-je-leest-filosofie.

Een korte periode begaf hij zich in Spanje op het terrein van de varkensfokkerij en hoe dat is afgelopen, is bekend. Daarna heeft hij zich nauwelijks meer bezondigd aan zakelijke avonturen of publieke uitspraken op hem vreemde gebieden. Of zoals hij het zelf uitdrukt: 'Tien jaar geleden bemoeide ik me met zaken waar ik geen verstand van had. Nu bemoei ik me met zaken, waar ik in elk geval wel verstand van heb.'

Johan beschouwt de concentratie op kerntaken als een onderdeel van de verdere professionalisering. Zo constateerde hij na zijn terugkeer, deze keer als coach: 'Bij Ajax waren we op vele onderdelen een eind weggezakt. Daarvan kan ik tientallen voorbeelden geven. Beroepsspelers die in de zaal voetbalden of voetbalkampen voor de jeugd organiseerden in de vakanties. Dat is uitgesloten. Na je elf maanden te hebben afgebeuld, behoor je rust te nemen. Dan moet het andere geld op de tweede plaats komen en de carrière voor gaan.'

Het zou interessant zijn deze filosofie toe te passen op de toppers in het bedrijfsleven met hun commissariaten en soms uitzonderlijk brede sociale activiteitenpakket. Daar zitten geen rust en reflectie meer in of tijd om in te springen in noodgevallen. Medewerkers en aandeelhouders geloven ook niet meer dat de topper er werkelijk 'bij' is en, zo nodig, een topprestatie kan leveren.

Wat denkt u ook van de topambtenaren in Den Haag die elk deel uitmaken van zo'n twintig tot vijfentwintig interdepartementale overleggroepen? Dan tellen we nog niet eens het overleg binnen het eigen departement of dat met de buitenwacht. Geen mens kan zoveel taken op een zinvolle wijze inhoud geven. Nee, het is beter het meesterschap te zoeken in de beperking. Dat maakt de wereld overzichtelijk en de aansturing van een team doenbaar. Bedrijven als Philips, Unilever, Akzo Nobel, DSM en ook Shell stootten hele divisies af omdat ze niet tot de kernactiviteiten behoorden. De meeste echte toppers in Nederland hadden niet de aansporing nodig van de Commissie Tabaksblat om hun nevenactiviteiten te beperken tot een overzichtelijk aantal.

Je durft als onderneming en als individu dan ook meer je nek uit te steken. Johan's antwoord op de vraag 'Heb je altijd veel zelfvertrouwen gehad?' is veelbetekenend: 'Nee, niet bijzonder veel. Wel in de dingen waarin je goed bent. Ik had wel zelfvertrouwen in het veld. Waarin je domineert voel je je altijd beter. Dat is altijd zo. Buiten het veld lag dat anders en twijfel je meer. Ook aan jezelf.'

Er is bovendien bij elke teamsport maar een beperkt aantal taken, die wel perfect moeten worden uitgevoerd. Het gaat bijna altijd om taken die je in samenwerking met anderen moet vervullen. Waarbij, in atletiektermen, het estafettestokje van de een naar de ander wordt doorgegeven. Want vaak winnen niet de vier snelsten de 4 x 100 meter, maar degenen die de beste wissels maken. Drie keer ééntiende seconde inhalen is zelfs voor toppers bijna niet te klaren.

In het bedrijfsleven spreken we vaak van de kernprocessen, in het voetbal zou je het de basispatronen kunnen noemen. Ben je als club beter in het uitvoeren van die patronen dan je tegenstanders, dan win je meestal de pot. En omdat iedereen dat weet en hetzelfde nastreeft, moet je die kernprocessen door oefening perfectioneren. Zoals Cruijff het uitdrukt: 'Het verschil tussen goed en slecht spelen is zo klein. Het belangrijkste is hard werken.'

Dat harde werken begint natuurlijk bij de top, maar daarop komen we later terug. De bovenbazen moeten de kernprocessen herontwerpen, zodat er geen lucht meer in zit en alles op papier perfect op orde is. Wie geeft wanneer en op welke wijze het estafettestokje door en hoe wordt die door de ander aangenomen?

Maar papier is geduldig en wedstrijden worden in belangrijke mate op het trainingsveld gewonnen. 'Als je met Cruijff trainde,' diept beschermeling Richard Witschge uit zijn geheugen, 'leerde je met de minuut. Hij wees je op heel kleine dingetjes. Later zag je in dat hij het alleen maar deed om jou te helpen beter te worden en om het elftal beter te laten spelen.'

Leuk was anders. Witschge: 'Ik herinner me dat hij me in de A1 opdroeg om de ballen drie meter vóór het aanspeelpunt neer te leggen om beweging en snelheid in het elftal te krijgen. Ik begreep het in het begin niet, de medespelers ook niet. De ballen kwamen niet aan en liepen zomaar over de lijn en de toeschouwers begonnen op me te mopperen. Johan vond dat ik gewoon door moest gaan. Het duurde even, maar na verloop van tijd begon iedereen in de gaten te krijgen wat de bedoeling was en kwam er inderdaad veel meer tempo in ons spel.'

Waar het bij de kernprocessen om gaat is de bal in één keer op het juiste moment bij de juiste medespeler te krijgen. De eerste voorwaarde is daarom dat jij en die ander op de juiste plaats staan: 'Voetballen is in wezen heel simpel, want het gaat eigenlijk allemaal om positiespelletjes... en soms gaat het maar om een paar stappen.'

Dat klinkt helemaal vanzelfsprekend en weinigen zijn het er ook mee oneens, maar herlees nog even die tekst van Witschge. Als je de bal in je voeten krijgt aangespeeld, sta je stil. Krijg je hem drie meter vóór je en weet je dat ook van tevoren, dan lig je op snelheid. Het kost dan een stuk minder inspanning om je tegenstander uit te spelen.

In feite is het dezelfde les als die van de productontwikkeling van onze hoogtechnologische ondernemingen en het projectmanagement in de bouw of het organisatieadvieswerk. Door vooruit te denken speel je iemand aan die al in beweging is en dus zich niet hoeft om te draaien om het estafettestokje van de verantwoordelijkheid over te nemen. Als je dat nu kunt doen met een heel team en een paar stappen vooruit, ontstaat er een enorme tijdwinst.

Het leven wordt mooi wanneer alles binnen een team op zijn plaats valt. Makkelijk is het niet om de kernprocessen strak te trekken. Topclubs en hun leiders blinken daarin uit. Een Amsterdamse taxichauffeur vatte hun recept bondig samen toen een klant hem vroeg hoe hij bij Ajax kwam: 'Oefenen, oefenen en nog eens oefenen.'

Verbeter het inzicht

Cruijff laat er geen twijfel over bestaan: 'Inzicht is het belangrijkste. Ik beheers een heleboel onderdelen perfect, negentig procent van het voetbalvak beheers ik. Maar een balletje trappen is de minst belangrijke factor.'

Les twee onder het kopje techniek betreft daarom het ontwikkelen van inzicht. Focus op kerntaken helpt, maar achter die taken moet een concept staan dat voor de samenhang zorgt. Anders blijft het los zand, wellicht per korrel van een superieure kwaliteit maar zonder enig verband. Het is de taak van de leider om zo'n concept – noem het maar een visie – te ontwikkelen; ik kom er later op terug.

Maar je mag je als leider niet vergissen: 'Een concept is iets doods. Binnen een concept kun je gigantisch veel nuances aanbrengen. Ik zeg altijd: je moet de voordelen halen, waar je dat maar kunt.' Daartoe moeten de spelers begrijpen waarmee ze bezig zijn. Als zij niet in staat zijn invulling te geven aan de 'papieren' ideeën van hun coach, wordt het op topniveau nooit wat.

Dat begrip komt niet vanzelf, je moet er aan werken. De meeste spelers hebben een aanleg, die we gemakshalve met talent betitelen, maar zelfs talent moet je ontwikkelen. En vooral moeten ze begrijpen dat het team altijd voorop staat: als je medespelers goed spelen, win jij ook. In het voetbal van Johan Cruijff moeten ze als team drie uitgangspunten hanteren: verhoog de handelingssnelheid, loop nooit onnodig en beperk je fouten.

In veel ondernemingen of bij de overheid zou je ongetwijfeld andere woorden gebruiken. Je zou het misschien hebben over het verbeteren van de kwaliteit van de geleverde producten en diensten door het benutten van de tijd, het voorkomen van verspilling en het foutloos werken. Maar het gaat om hetzelfde en wie er niet aan kan voldoen, kan het in de concurrentiestrijd wel schudden.

Voorop staat: **verhoog de snelheid van handelen**. Wie te traag is, heeft per definitie ontevreden klanten. Als je kunt inschatten wat er op je afkomt, kun je daarmee rekening houden en sneller gepaste maatregelen nemen.

Johan leerde dat al jong en ook weer uit de praktijk. 'Ik was heel klein, een jaartje of acht of zo. Dan speelde je buiten op het plein, op straat of in de speeltuin. Toen had ik meteen door dat als ik tegen een grote opliep en viel, dat ik me pijn deed. Dus wat deed ik dan? Als die grote er aan kwam, dan was ik daar net niet meer. Dan was ik net onderweg ergens anders naar toe.' Persoonlijk inzicht groeit snel als het gaat om lijfsbehoud: 'Dus wat krijg je? Dan begin je met het ontwikkelen van inzicht. Dat je weet dat je niet tegen iemand op moet lopen, je moet die bal dus sneller onder controle houden. Je weet, je moet hem sneller afgeven. Je weet, je moet sneller positie kiezen. Want op het moment dat ik gelijk met hem aankwam, was ik verliezer.'

Inzicht biedt de basis om echt 'goed' te worden in je vak. Sommige onderdelen kun je volgens Johan op school of op het oefenveld leren: 'Als ik een bal aan de voet heb die ik wil afspelen, dan moet ik rekening houden met mijn bewaker, de wind, het gras, de snelheid waarmee de spelers lopen. Wij berekenen de kracht waarmee je moet schoppen en de richting waarin in ééntiende seconde. De computer doet daar twee minuten over!'

Maar de handelingssnelheid met de bal vormt maar een onderdeeltje van het vereiste inzicht. Je moet op basis van een gedeeld concept ook kunnen anticiperen op wat je medespelers en je tegenstanders van plan zijn te doen. Medespeler Gerrie Mühren, zelf een supertechnicus, legt uit: 'En hij voelde ook blindelings aan hoe iedereen om hem heen bewoog. Maar dat voelde je zelf ook aan, want als je dat niet snapte, kon je beter niet bij Ajax gaan voetballen.' Door de vastigheid van wederzijdse verwachtingspatronen kunnen teamgenoten elkaar sneller vinden. Daardoor houden ze tijd over om 'moeilijke' dingen te doen. Dingen bijvoorbeeld waar de langzamere concurrentie niet aan toe komt.

Je kunt het er niet mee oneens zijn. Het zou ook bij de overheid en in het bedrijfsleven prettig zijn als mensen met elkaar meedenken. Als ze begrijpen wat voor hun collega's ideaal is om hun werk optimaal te doen en daar in hun eigen handelen rekening mee houden. De Cruijffiaanse moraal is duidelijk: 'In voetbal is het simpel: je bent op tijd of je bent te laat. Als je te laat bent, moet je zorgen dat je op tijd vertrekt.'

Die afstemming van op tijd een bal afgeven en op tijd vertrekken krijg je alleen door de kernprocessen langdurig met elkaar fijn te slijpen. Jan Wouters bracht het vaderland in de halve finale van het EK 1988 tegen Duitsland in vervoering. Hij gaf een gouden voorzet op Marco van Basten, die ons met een fraaie goal verloste van een uit 1974 daterende collectieve frustratie: 'In de aanname zag ik Van Basten gaan. Ik kijk nog een keer op en geef hem in de ruimte. Ik heb een jaar met Marco gespeeld en ik weet: beweegt-ie in het strafschopgebied naar links dan wil-ie hem rechts hebben, beweegt hij naar rechts dan moet je hem links aanspelen. Dat gaat allemaal in een flits hoor, het is niet iets wat je overdenkt. Het zijn automatismen en die zaten er nog in van vorig jaar.'

Het zijn dezelfde soort automatismen die de Japanse bedrijven een twintig jaar geleden perfectioneerden. Door just-in-time management gaven zij het estafettestokje binnen hun toeleveringsketen feilloos op tijd en zonder fouten aan elkaar over. Deze keer waren niet alleen de Duitsers stil, maar ook de Nederlanders. Het kostte onze betere ondernemingen jaren om dezelfde vaardigheden te ontwikkelen.

Goed, dat snappen we, maar er is een tweede punt dat de leider erin moet hameren bij zijn team: snel handelen staat niet gelijk aan hardlopen. Het is, telkens als je met Johan praat, een gevoelig punt. Hij is namelijk een fervent aanhanger van de levensregel: **voorkom onnodig hardlopen**.

Hij hanteert daartoe al ruim dertig jaar lang met grote inzet 'sluitende' argumenten. Zijn hoofdargument formuleert hij bondig: 'Als je sneller wilt spelen, kun je wel harder gaan lopen, maar in wezen bepaalt de bal de snelheid van het spel.' Je kunt je daar, zelfs als fervent hardloper, iets bij voorstellen. In sommige takken van het bedrijfsleven is het maken van uren bijna tot een doel verheven.

Als je de bal het werk kunt laten doen, zou je wat zinnigers kunnen doen dan hard heen en weer rennen. Het is overigens een van die levenslessen die je door schade en schande leert. Steeds weer gooi je er, als je onzeker wordt, een extra schepje bovenop, verhoog je de druk op jezelf. Dat heeft iets manmoedigs, het siert immers de mens dat hij niet opgeeft maar vecht. Steeds weer merk je echter bij jezelf en bij de mensen om je heen, dat de vervanging van kwaliteit door kwantiteit zelden veel positieve resultaten oplevert. Ook in het bedrijfsleven geldt te vaak een wrange vuistregel: wie het eerst komt en het laatst weer naar huis gaat, zit in moeilijkheden.

'Voetballen doe je met je hersens.' Topploegen haasten zich zelden. De spelers zijn 'gewoon' ter plaatse als dat van hen wordt verwacht. De bekende pedagoog Cruijff neemt de laatste aarzeling weg: 'Wat is snelheid? Vaak verwisselt de sportpers snelheid met inzicht. Kijk, als ik iets eerder begin te lopen dan een ander, dan lijk ik sneller.'

Het is dus meer een vraag: wat doe je niet? Bedrijfsleven en overheid spreken van efficiëntie: niet de beschikbare middelen verspillen, maar tegen de laagst mogelijke kosten je doelen bereiken. Toch is er nog steeds te vaak sprake van overbodige luxe, van vervetting en van cholesterol dat zich ophoopt. Van geld en energie die verspild worden aan weinig zinvolle activiteiten.

Bij het op zich loffelijke nastreven van een grotere efficiëntie worden veel fouten gemaakt. Kosten worden bijvoorbeeld verlaagd door voortdurende schaalvergroting; denk aan scholen en ziekenhuizen, maar ook aan de weggefuseerde lokale banken of de megaconcentraties in het internationale bedrijfsleven. Er worden bij het afslanken van organisaties ook te makkelijk kunstgrepen toegepast, een soort organisatorische liposuctie waarbij hele ploegen mensen radicaal overboord worden gezet.

Ondoordachte en kunstmatige ingrepen werken echter niet en Johan heeft het daar ook niet over. Spelers moeten afgetraind zijn, strak in hun vel zitten. Maar ze moeten niet lopen om het lopen. En een beetje inzicht helpt daarbij enorm, omdat ze dan weten wanneer ze waar moeten zijn.

Rest ons nog het derde aandachtspunt voor de leider: **leer van fouten**. Want zei niet de grote Cruijff: 'Voetbal is een spel van fouten. Wie de meeste maakt, verliest. Wie de minste maakt, wint. Zo simpel is het.'

Het principe is inderdaad heel simpel: het gaat er in de eerste plaats om zo min mogelijk fouten te maken. Dat is in het geval van Johan geen probleem. De citatenboeken ritselen van de kernachtige uitspraken zijnerzijds over dit gevoelige onderwerp. 'Voordat ik een fout maak, maak ik die fout niet', 'Ik maak eigenlijk nooit fouten, want ik heb enorme moeite me te vergissen': het zijn klassiekers geworden. De moeder aller teksten is natuurlijk zijn antwoord op de vraag: geef je ook wel eens een fout toe? 'We moeten er geen praathuis van maken. Nee, het is eigenlijk nooit voorgekomen.'

Maar wat hij stellig bedoelt, heeft echter een heel andere klank. Het maken van een fout is vaak zo ernstig niet, als je de oorzaak maar kunt wegnemen. Cruijff: 'Spelers moeten fouten kunnen maken, van fouten leer je over het algemeen het beste. Het aantal fouten moet vervolgens wel worden teruggebracht.' Dat klinkt doodlogisch, maar mensen hebben vaak de neiging om manmoedig door te rossen op de verkeerde weg. Het is, zeker tijdens de wedstrijd, weinigen gegeven mensen van fouten te laten leren: 'Het is niet zo moeilijk om te zien wat er gebeurt, maar waarom het gebeurt. Veel mensen zien dat er tijdens de wedstrijd met het elftal iets fout gaat. Veel minder zien waar de fout zit en slechts een enkeling ziet wat je eraan kunt doen. Ik zie dat meteen, ja.'

Het is natuurlijk zaak die kennis over te brengen op je spelers. Marco van Basten was bijvoorbeeld een goede kopper, maar dat is op het veld niet voldoende. 'Goed kunnen koppen is één; het is iets heel anders om in staat te zijn je eigen ruimte te scheppen om te kunnen koppen.'

Je kunt er ook op oefenen om geen fouten te maken. Johan is een fontein van kleurrijke illustraties: 'Wat in het voetballen verboden is, is een breedtepass. Dat mag niet, want op het moment dat je hem breed passt en hij wordt onderschept, ben je beiden uitgespeeld.' Het is aan de leider om zijn team hierin op te leiden. 'Dat zijn hele simpele situaties. Als je ziet dat op het ogenblik in het voetbal, ik denk, vijfenzeventig tot tachtig procent van de ballen breed gespeeld wordt, dan zeg ik: jongens, waar ben je nou mee bezig?' Als je het beter doorhebt dan je tegenstander, dan sta je bij het begin van de wedstrijd al op voorsprong.

De belangrijkste taak van de leider is echter het bieden van rugdekking – ik kom er later uitgebreider op terug. Dan pas durven mensen te ondernemen. Zoals Cruijff het uitdrukt: 'Alle fouten zijn van mij, dus ze kunnen vrijuit spelen.'

'Ik houd mijn spelers altijd voor dat angst een slechte raadgever is. Doe je best als voetballer, want meer kun je niet doen.' Het zou vanzelfsprekend moeten zijn, maar hoeveel bazen zeggen openlijk zoals Johan: 'Ik heb ontzettend veel respect voor mensen die fouten maken, maar zich steeds weer voor de volle honderd procent inzetten.'? En hoeveel bazen maken dat ook waar in de praktijk als het om een serieuze inzet gaat? Hoeveel organisaties huldigen de filosofie 'Alles wat je tegenwoordig, ook in de top, fout ziet gaan, is terug te voeren op de opleiding'? Hoeveel van hun leiders trekken daaruit dan ook de consequentie dat ze de fouten voor hun rekening nemen en bovendien de opleiding niet alleen op papier de hoogste prioriteit geven?

Zou zijn teamuitleg ook van toepassing zijn op onze betere ondernemingen of ministeries? 'De ploeg die de minste fouten maakt, is de beste. Dat moet je wel over een heel jaar zien en elf man kunnen in de fout gaan. Dus: wie een goede dag heeft, helpt een ander.' Herinnert u zich nog die nog immer gewaardeerde collega die bijsprong, toen u in nood verkeerde? Gouden mensen zijn dat. Omdat ze achter je stonden toen jij leerde van 'hun' fouten.

Denk na over tactiek

'Hij kon werkelijk alles,' herinnert Vic Buckingham zich. Buckingham coachte de jonge Cruijff bij Ajax in de jaren zestig. 'Hij begon acties, vloog over de vleugels en bestormde het penaltygebied. Links, rechts, alles – en met zo'n snelheid. Het was een gift van God aan de mensheid – voor de voetballers van die mensheid dan. Dat was Johan.'

Marco van Basten vult aan: 'Johan is technisch zo volmaakt dat hij op vrij jonge leeftijd eigenlijk al uitgekeken was op het voetballen op zich. Hij beheerste alles al denk ik vanaf zijn twintigste. Daarom is hij volgens mij al heel jong in tactiek geïnteresseerd geraakt. Bovendien ziet hij alle voetbalsituaties zo helder, dat hij volgens mij overal waar hij is geweest heeft bepaald hoe er zou worden gespeeld.'

Focus op kerntaken, inzicht als basis voor een gedeeld concept: Cruijff beschikte er al vroeg over. Maar uiteindelijk worden wedstrijden gewonnen of verloren op het veld en gaat het dus om de uitvoering. Daarom benadrukt hij onder het kopje techniek een derde kwaliteit waarover de leider moet beschikken om zijn team aan de top te brengen: tactisch vermogen. Johan heeft ook bij dit onderwerp weer gemengde gevoelens, omdat er te vaak te moeilijk over wordt gedaan: 'Tactiek is ook zo'n woord dat op allerlei manieren verkracht wordt. Als je in Nederland over tactiek praat, dan vragen ze: speel je 4-2-4, 4-3-3 of weet ik veel wat, dat is voor mij helemaal geen tactiek. Voor mij is tactiek dat je **weet wie welke kwaliteiten heeft** en hoe je die het beste kunt benutten, en ook dat je weet wat de zwakke punten van je tegenstander zijn en hoe je daar je voordeel mee kunt behalen. Dat is tactiek.'

Fouten zijn er om niet gemaakt te worden, maar – het is een terugkerend punt in zijn betogen dat ik eigenlijk nooit bij bedrijfsleven of overheid aantrof – Cruijff stelt ook dat je je tegenstanders kunt stimuleren tot het maken van fouten. In het kader van de natuurwetten van de voetballerij verwoordt hij het kernachtig: 'Andere wet: een slechte speler moet je slecht laten spelen.'

Een kleurrijk citaat is illustratief:

> 'Bijvoorbeeld die en die is slecht in de opbouw, dan moeten alle ballen naar hem toe. Of die club is heel goed met cornerballen, wat moet je dan doen? Geen cornerballen tegen krijgen. Extreem gezegd: als je normaal tien corners per dag tegen hebt en nu maar drie, dan heb ik al zeventig procent gewonnen.
> Dan ga je altijd proberen dingen te winnen, te beïnvloeden, dat is voor

mij tactiek. Als je bijvoorbeeld een goede kopper hebt en een mindere en de tegenpartij heeft hetzelfde, een goede en een mindere. Wat doen negen van de tien mensen? Die zetten de goede tegen de goede en de slechte tegen de slechte.

Dat doe ik nooit. Ik zet altijd de goede van mij tegen de slechte van hun, dat wil zeggen dat probleem bestaat niet meer. Dus blijft er één probleem over. Dan zeg ik: ga nou daar staan of laat de keeper eruit komen. Of ik zeg tegen dat kleintje: niet koppen want dat kan je toch niet winnen, maar ga voor zijn voeten lopen.'

Het gaat echter lang niet altijd om de minste spelers, die je een eerlijke kans moet geven om te falen. Voetballiefhebber Cruijff houdt bijvoorbeeld van creatieve spelers. 'Een voetbalvedette is heerlijk om naar te kijken. Ik zou zo'n speler nooit proberen uit te schakelen door een mandekker. Ik kijk welke spelers hem aanspelen, vervolgens probeer ik dat te verhinderen, waardoor hij geen ballen krijgt. Als hij dan de helft van de ballen krijgt, heb ik nog maar een half probleem.'

Klassiek is inmiddels het geval van de man-die-niet-te-dekken-was. Ongeacht welke mandekker op hem stond, wist hij twee keer per wedstrijd te ontglippen. En omdat hij dan ook nog kon scoren, betrof het een zeer geduchte tegenstander. Cruijff bestudeerde hem: 'Dan zit je een tijd te denken: hoe moet ik dit nou oplossen? Dus ik zeg op een gegeven moment tegen die spelers: hoe moeten we dat nou doen? Ik heb wel een idee. Niemand zei wat, iedereen herkende het probleem. Dus ik zeg, we hebben een keus: niet dekken, dan kan-ie ook niet uit de dekking lopen.'

Deze ontdekking leidde in latere dagen op managementbijeenkomsten tot massale vreugde: 'Die jongen wist toen absoluut niet meer wat hij moest doen. Hij rende als een kip zonder kop over het veld. Nee, hij heeft niet gescoord. Sterker nog: hij heeft niet eens een kans gehad.'

De broers Gerrie en Arnold Mühren bestudeerden Johan jarenlang vanaf hun middenveldpositie bij Ajax. Van goede Volendamse komaf waren zij behalve begenadigde technici ook begiftigd met een forse dosis gezond verstand. Hun illustraties van bijzondere gevallen van tactisch inzicht strekken daarom tot lering ende vermaak.

Oudste broer Gerrie over een thuiswedstrijd tegen Telstar: 'De wedstrijd werd bijna afgekeurd vanwege hevige regen, maar ging op het nippertje toch door. Wij lopen het veld op, met ons nette pakje nog aan. Ik loop met Johan mee naar het strafschopgebied en hij zegt: "Zie je die plas liggen?" Ik wist precies wat hij bedoelde. Telstar trapt af, de bal wordt teruggespeeld naar de keeper. Johan gaat er achteraan. De bal blijft in die plas liggen. Dat had hij voorzien. Hij is er als de kippen bij en tikt de bal erin. Ik denk dat we acht seconden gespeeld hadden. Hij had gewoon op die plas gelet.'

Jongere broer Arnold: 'We speelden een keer in Griekenland en kregen een scheidsrechter die het op ons gemunt had. Een Griek, die ten koste van alles de thuisclub wilde laten winnen. Een thuisfluiter zoals ik nog nooit had meegemaakt.

Hoorde ik ineens Pietje (Keizer-PW) tegen Johan zeggen: "Dit doen we niet meer. We krijgen toch alles tegen. Als we nu de bal krijgen, rammen we 'm gewoon de tribune in." Het was geen gezicht. Kreeg Pietje de bal, tikte hij 'm twee keer omhoog en ramde 'm toen de tribune in. Even later pakte Johan de bal weer op en joeg 'm aan de andere kant het publiek in. De mensen hadden het protest snel door en begonnen enorm te fluiten. Scheidsrechter erbij en de organisatie in paniek. Toen maakten Johan en Piet de scheidsrechter heel snel duidelijk dat, als hij niet normaal ging fluiten, hij een wedstrijd van Ajax verder kon vergeten. Vanaf die tijd hebben we van die man geen last meer gehad. Zo'n macht had het elftal toen.'

Weet je eenmaal wie over welke kwaliteiten beschikt, dan moet je daar optimaal gebruik van maken. En het recept is simpel: **creëer ruimte**. Komt dit onderwerp aan de orde in gesprekken met Cruijff – en dat doet het bijna altijd – dan kun je beter je agenda de rest van de dag vrijmaken.

In een recent radio-interview met mijn oud-collega Mickey Huibregtsen, zelf oud-topsporter en bovendien een van de beste managementadviseurs in ons vaderland, slaat Johan bijvoorbeeld onverbiddelijk toe. Als auteur van de slagzin 'Een elftal bestaat uit tien mensen en een linksbuiten' heeft hij iets met buitenspelers, vooral van het grillige, maar briljante type dat de linkervleugel bezet.

Maar waar zijn ze gebleven, de toppers-van-toen zoals Piet Keizer, Coen Moulijn, Rob Rensenbrink en meer recent Marc Overmars? Mickey tast af: Echte buitenspelers schijnen we niet meer te hebben? Cruijff gooit het gesprek in de turbo: 'We hebben ze wel. Het punt is alleen dat hun rendement minder is doordat de rest, die er omheen loopt, hen eigenlijk in de problemen brengt.' In de weg lopen? Dat dus weer? 'Ja.'

Ruimte creëren, daar hamer je op? 'Ja. En nu vraag ik jou: Wat is de grootste kwaliteit van Overmars?' Van Overmars? Snelheid. 'Wat heb je er voor nodig om snelheid te ontwikkelen?' Licht gewicht en goede start. Het gaat tot nu toe goed in het vraag-en-antwoordspelletje, maar nu volgt de apotheose waarom het allemaal begon, de Wijze Les: 'Nee, ruimte, ruimte! Want dán maak je gebruik van je kwaliteiten. Want als ik hem bij wijze van spreken in het toilet laat sprinten, dan komt hij niet snel weg, dus je moet ruimte hebben, wil je gebruik maken van die snelheid. Je ziet dat in aanvallen – dus ik zeg niet één op tien, ik zeg negenennegentig op de honderd – als hij die bal vraagt, de spits bijna altijd dat gat voor hem dicht loopt.'

Johan raakt op dreef: 'In plaats dat die spits een andere kant kiest, dan durft die laatste man ook niet te komen, dus dan speelt hij één-tegen-één. Je ziet bijna altijd dat op het moment dat Overmars de bal ontvangt, hij op gelijke hoogte staat met zijn middenvelder, vaak Cocu. Die kant kan hij ook al niet op. Ja, wat moet hij dan doen? Dan wordt hij vaak nog aangespeeld door een back! Nou goed, dan kun je alleen maar verwachten dat hij een doodschop krijgt.' Met een diepe zucht volgt het slotsalvo: 'Als je zoveel mensen in de spits hebt, en je wil dan een voorzet geven, hoe moet je iemand opstellen die die voorzet moet geven. Het is zo verschrikkelijk simpel. Ik begrijp niet waarom dat niet gezien wordt.'

In het bedrijfsleven of in de politiek gaat het om een ander soort ruimte. Niet het aantal vierkante meters gras dat je als speelruimte hebt telt daar, maar de armslag om te ondernemen, bijvoorbeeld in termen van financiële of personele middelen, of de afwezigheid van remmende wet- en regelgeving. Leiders moeten dat zien.

Wetenschappers kunnen bijvoorbeeld, net als Overmars, niet creatief worden als ze met handen en voeten zijn gebonden en alle paden worden geblokkeerd. Jonge ondernemers kunnen zichzelf niet toetsen en ontwikkelen als ze telkens weer stuiten op een 'mag-nie' en 'ken-nie' of als er steeds collega's in de weg lopen. Hun rendement is daardoor lager dan het zou kunnen zijn.

Ruimte daagt uit. Overmars is ijzersterk in een één-tegen-éénsituatie, hij kan zijn man passeren en heeft een strakke voorzet in de benen. Maar hij heeft ruimte nodig en de uitnodiging om daarvan gebruik te maken. Het is zo verschrikkelijk simpel, dat je niet begrijpt waarom dat niet gezien wordt.

En dan worden ze ook nog eens aangespeeld door een back! Als voormalig aanvaller die uitgroeide tot verdediger vraag ik mij af: wat is er mis met een back? Mijn argwaan wordt versterkt door Johan's antwoord op de vraag waarom er in Nederland geen verdedigers meer zijn. 'Een mislukte vleugelspeler was altijd een bruikbare back. Er wordt bijna niet meer met vleugelspelers gespeeld, ze mislukken dus ook niet meer.'

Er is geen speld tussen te krijgen, maar ik moet toegeven dat mijn gedachten afdwaalden naar de NS met zijn vertragingen: als je gewoon een aantal diensten schrapt, heb je ook minder vertragingen. Zoals eertijds ook het geniale idee werd geopperd om de laatste vijf minuten van de dagelijkse werktijd maar vrijaf te geven omdat dan iedereen toch zijn jas al aan had.

Terug naar die backs en hun mogelijke discriminatie, die nog steeds weinig bevorderend is voor in ieder geval mijn ego. Een meer bevredigende uitleg heeft echter toegevoegde waarde. Cruijff heeft immers een 'obsessie' met positiespel, 'of beter gezegd, de gemakkelijkste situatie opzoeken om af te ronden wat je wilt doen'.

De doodschop valt nu op zijn plaats en het is niet de fout van de back maar van het concept. 'Als ik de bal met het gezicht naar het doel ontvang, kan ik de één-tegen-één al inzetten. Als ik de bal daarentegen met de rug naar het doel aangespeeld krijg, dan zal ik twee bewegingen moeten uitvoeren: de bal onder controle krijgen én me omdraaien, waarmee ik kostbare tijd verlies.' Tijdens dat omdraaien ben je kwetsbaar. En als je bovendien twee tegenstanders met geslepen noppen een sliding op je achillespezen ziet inzetten, weet je: dat wordt ziekenhuis.

Je backs moeten dat begrijpen, maar ook de andere spelers hebben inzicht nodig. Ga bijvoorbeeld – wat je ook doet – in hemelsnaam niet helpen; helpen doe je alleen als iemand in nood verkeert, maar anders niet. Johan is op dat punt een repeteergeweer: 'Als mijn aanvaller één-tegen-één komt, zeg ik altijd: "Laat het hem lekker uitzoeken." Dan zeggen de spelers: "We kunnen hem toch helpen?" Mijn antwoord is dan: ten eerste is de kans groot dat je in de weg loopt en bovendien trek je als tweede aanvaller een tweede verdediger mee en twee-tegen-twee is moeilijker dan één-tegen-één.'

Bij de Wetenschappelijke Raad voor Regeringsbeleid doe ik mee in het Buurtproject: welke problemen kunnen buren beter met elkaar aan dan ze nu doen? Dat blijkt wonderlijk veel te zijn; er zijn over heel Nederland fantastische initiatieven van zelfredzaamheid. Geef mensen de ruimte en ze kunnen met elkaar heel veel.

Maar tegelijk merk je steeds weer dat de overheid de burgers komt 'helpen'. Gaat er bijvoorbeeld iets mis op het gebied van de veiligheid, dan springt de politie in. Dat is prima, maar zou het geen goede zaak zijn als de overheid soms afstand hield en de buren hun eigen verantwoordelijkheid 'opdringt'? Zoals we dat bij onze kinderen zelf ook doen; ik zou niet graag mijn volwassen kroost nog bij de hand nemen om een straat over te steken.

Het deed me ook denken aan de rijksoverheid in de relatie met lagere overheden. Als je die niet vertrouwt, ga je helpen, dus loop je in de weg. Je moet heel vaak juist wegbewegen, zodat ze de ruimte plus de bijbehorende verantwoordelijkheid krijgen om hun klus te klaren. Maar het geven van zoveel vertrouwen vereist een enorm zelfvertrouwen, en dat is niet iedereen gegeven.

Veel grote ondernemingen zijn georganiseerd in zogenaamde business units, idealiter ondernemingen binnen de onderneming. Mensen krijgen daar de ruimte om zelf te ondernemen en worden afgerekend op hun resultaten. Die moet je niet te vaak helpen, want dan gaat die eigen eindverantwoordelijkheid verloren. Het is soms moeilijk, want veel bovenbazen beheersen hun vak en 'ruiken' als er iets fout gaat of kansen worden gemist. En toch moet je wegbewegen. Zodat zij straks niet alleen een strakke pass in hun benen hebben en hun man kunnen uitspelen, maar dat ook op spannende momenten durven te doen. Je ontwikkelt je toptalent niet door ze ziekenhuisballetjes te geven. Het is de taak van de leider om binnen het gezamenlijke concept ruimte te creëren voor de spelers: kansen scheppen en hen uitdagen. En vooral nooit helpen.

⚽

De boodschap is duidelijk. De eerste vereiste voor een goede voetballer is techniek, en dat is niet duizend keer een bal hooghouden, maar hem in één keer doorspelen naar de juiste medespeler. Wanneer spelers zo op elkaar zijn ingesteld dat de kernprocessen simpel zijn, wordt samenspel een kunst.

Laat ik ter inspiratie dit hoofdstuk daarom afsluiten met de beschrijving van zijn mooiste goal, die Godfried Bomans in 1971 optekende van een jonge Johan Cruijff:

> 'Het was geloof ik de tweede wedstrijd tegen Feyenoord en toen kreeg ik zo'n bal in de diepte, met veel effect, van Piet Keizer. En die bal gaf ik dus hetzelfde effect weer mee. Dan krijg je het volgende: dat die bal onderweg nog een flinke portie effect meekrijgt, en dan op een gegeven ogenblik is de snelheid eruit, en dan gaat die bal vallen met het effect mee. Wat gebeurt er dus? Ik schiet, de keeper gaat dié kant uit, en blijft op die bal wachten, maar die vloog op een gegeven ogenblik zó, naar de andere hoek.'

Als u het begrijpt, mag u het zeggen. Aan de andere kant, wat kan het ons schelen. Wij stervelingen moeten maar denken: met wat geluk lukt zoiets ons ook wel. Als we maar een beetje meer op onze techniek zouden oefenen.

OVER LACH(EN)

'Ik vind dat er maar weinig mensen lachen in het voetbal van vandaag. Wij hadden vroeger veel meer plezier. Lag er naast het trainingsveld een plankje over een sloot waar je overheen moest om een bal te halen, dan wilde een ander wel eens met een andere bal mikken als jij midden op dat smalle plankje stond. Bij een voltreffer lag je er geheid in. Maar zo leerde je wel zuiver schieten.'

Hans Eijkenbroek speelde een keer of acht met Cruijff in het Nederlands elftal: 'Kessler bedoelde het goed, maar had wel zijn eigenaardigheden. We kregen bijvoorbeeld van hem een foto van onze directe tegenstander mee naar bed. Nu had je in die tijd *De Lach*, zo'n blad met blote dames. Johan zei tegen Kessler: "Ik neem liever een foto uit *De Lach* mee naar bed. Die tegenstander is nog een lelijke vent ook, moet ik daar mee naar bed?"'

TOEVAL IS LOGISCH

'Toeval is logisch', het is zo'n typische Cruijff-uitdrukking waar je om moet lachen maar in eerste instantie niet veel mee kunt. Elke voetbalkenner weet dat goede spitsen veelvuldig mazzelen en de beste keepers een engeltje op de lat hebben zitten. Maar echt toevallig is dat niet.

Het geluk staat aan de kant van degenen die goed zijn voorbereid. Toppers weten wanneer ze op welke plaats moeten zijn en omdat hun medespelers daarop kunnen rekenen, gebeuren er mooie dingen. Dat is een zaak van voortdurend bij de les zijn en nooit verzwakken en het is aan de leider om zijn team zo scherp te houden.

Cruijff vat de essentie van dit onderdeel van leiderschap bondig samen: 'Iedere wedstrijd begint natuurlijk met 0-0, hoe goed je het ook deed vorig jaar. Elke wedstrijd, elke dag begin je op nul. Daar gaat het om met discipline. Iedereen heeft bepaalde taken op het veld.'

Het tweede kenmerk dat de goede voetballer onderscheidt van de slechte is daarom discipline. Het is zo'n punt waar de meesten van ons niet vrolijk van worden. Want wie houdt er nu van discipline, vooral als die van bovenaf wordt opgelegd? Afgrijselijke beelden van donkere schoollokalen doemen op, van huiswerk en overhoringen. Ouderavonden: ja, meneer, uw zoon kan goed leren, maar heeft wat problemen met de discipline. Hij zit vooral te slapen in de klas.

En aan voetballen te denken, net als Johan. Om tien voor een zat het erop, in die oude tijden toen je op de zaterdagochtend nog naar school ging. Als een haas naar huis om nog even de Dutch Swing College Band op de radio te horen. En dan naar voetballen. In mijn geval de Oude Haagsche, de Leeuw van Wassenaar: H.V.V. Acht maal kampioen van Nederland, alleen het Ajax van Johan behaalde meer nationale titels.

En dan, vele jaren later, begint Cruijff over discipline. Je verwacht dat er iets moet volgen over Rinus Michels, de Generaal, de Bul, de Sfinx. Vroeger op school had je weliswaar respect voor de strenge meester, maar om nu als volwassen mens voor je aardigheid te denken: ha, we gaan vandaag weer fijn wat discipline beoefenen?!

Net als eerder met die techniek waar het niet gaat om duizend keer een bal hooghouden, blijk je meteen op het verkeerde been te staan. Zijn jarenlange vazal Tonnie Bruins Slot legt het verschil uit: 'Voor elke gemiddelde trainer is zijn oefenstof de basis van zijn werk. De een kiest voor dit, de ander voor dat. Op een gegeven moment haalt zo'n trainer de top van zijn mogelijkheden.' Maar dan begint het pas als je voor echie speelt: 'Als ik zelfstandig aan de slag was gegaan, had ik ook op die manier m'n top gehaald, maar doordat ik de mazzel heb om met Cruijff samen te werken heb ik mijn grenzen verlegd. Cruijff begint namelijk pas te werken waar het werk van een gemiddelde trainer, die al tien, vijftien jaar in het vak zit, ophoudt. Met andere woorden: het eindpunt van de gemiddelde trainer is het vertrekpunt voor Cruijff.'

De basistechniek en de basisdiscipline zijn voor Johan gegevenheden: zonder die kom je niet eens in aanmerking voor Ajax 1. Het gaat steeds om de volgende slag en die is in zijn visie bijna onveranderlijk vervat in het woordje team. Denk het er maar voor: teamtechniek, teamdiscipline. Individuele kwaliteiten waarover teamgenoten in gezamenlijkheid moeten beschikken. Alle spelers moeten permanent met de wedstrijd bezig zijn en kunnen het zich niet veroorloven van een afstandje toe te kijken hoe hun teamgenoten aan de andere kant van het veld hun best doen: 'Als we aanvallen, moeten de verdedigers de verdediging al organiseren. En niet als we de bal verliezen, omdat ze dan te laat zullen zijn.'

Zijn moraal is duidelijk: 'Je moet je wedstrijd organiseren in plaats van je zorgen te maken over een mooie voorstelling op te voeren. Dat is de reden dat je discipline nodig hebt: iedereen voert zijn taken uit zodat iedereen voordeel heeft, individueel en als team.' Daartoe dient de leider drie punten te beklemtonen: het vertrouwen binnen het team dat iedereen op zijn taak is berekend en daarvoor ook staat, de nadruk niet op individueel maar op teamrendement, en ten slotte een hoogontwikkelde teamintuïtie.

Stimuleer vertrouwen

Discipline is niet domweg doen wat de baas zegt, maar elke speler moet zorgen dat zijn medespelers weten dat ze op hem kunnen rekenen. Mensen moeten er staan als de wedstrijd dat vraagt. En – een belangrijk punt – dat geldt niet alleen als ze aan de bal zijn.

'Kijk,' zegt Johan, 'ik ben helemaal niet geïnteresseerd in de speler mét de bal. Ik ben altijd geïnteresseerd in wat er aan de andere kant van het veld gebeurt, hoe ze daar spelen, hoe ze daar voor de uitvoering van hun taken zorgen. De man met de bal heeft het makkelijk, maar de echte strijd speelt zich af op de andere kanten van het veld, waar ze het spel maken.'

De lessen worden weer aanschouwelijk in beeld gebracht. Het lange citaat vormt een mooie illustratie van een vaardigheid, waarover zijn vroegere teamgenoot Keje Molenaar lachend opmerkt: 'Als hij iets begint uit te leggen, zegt hij altijd: "Er zijn drie dingen. Ten eerste..." Dan wacht ik altijd op het tweede en derde punt, maar dan verliest hij zich volkomen in het eerste; hij weidt uit, gaat uitgebreid in op details. Punt twee en drie komen nooit, maar zitten verpakt in dat hele verhaal.'

> 'Op twee manieren. In de eerste plaats, als ik de bal heb en jij loopt daar, moet ik de bal naar jou toe sturen. Als jij niet beweegt, heb ik niet eens de keus. Dat betekent dat ik nauwelijks geïnteresseerd ben in de man met de bal. De man zonder bepaalt hoe het verder gaat.
> Dat betekent bijvoorbeeld dat zodra we de bal ergens voorin in ons bezit hebben, de mensen achterin hun verdediging moeten organiseren. Niet pas als je de bal bent kwijtgeraakt, want dan is het veel te laat.
> Dat zijn de fundamenten van discipline, waar we het over hebben. Dat iedereen niet alleen maar aan de leuke dingen zit te denken. Naar voren gaan, aanvallen, mooie dingen doen met de bal. Maar ondertussen

vergeten de zaken te organiseren. Dat bedoel ik met discipline, dat iedereen zijn werk op het veld serieus neemt.'

Het gaat om het weten waar je mee bezig bent. 'Hoe je door een stap links, rechts of terug de back kan helpen. Of – in aanvallend opzicht – hoe je door die halve meter naar voren te stappen een afspeelmogelijkheid kan creëren voor degene met de bal.'

Toch komt de mooiste uitleg van Bert Hiddema in zijn uitweiding over de leerjaren van zijn held onder leiding van Rinus Michels.

> 'Michels blijft erop hameren dat zijn ideale team een eenheid moet zijn. "Eén geheel, dat niet denkt maar speelt. Alles moet automatisch gebeuren, want wie nadenkt is te laat."
> Johan en Pietje mogen doen wat ze willen. De andere spelers dienen blindelings hun opdrachten uit te voeren. Zij worden gedrild tot ze blindelings weten wat hun te doen staat. Niets wordt aan het toeval overgelaten.
> Ze moeten op elkaar kunnen vertrouwen. Daarom moet iedereen zich ondergeschikt maken aan het team. "Dat is in ieders belang, want alleen in een goed team kun je beter spelen dan je ooit voor mogelijk hebt gehouden. Alleen dan kun je optimaal tot je recht komen," zegt Michels.'

Het sleutelwoord van discipline is vertrouwen: 'ze moeten op elkaar kunnen vertrouwen.' Een gedisciplineerde speler doet wat hij moet doen, staat voor zijn taken. Dat roept positievere beelden op waar je als leider wat mee kunt.

Vertrouwen is ook het sleutelwoord voor de komende tien jaar in politiek en bedrijfsleven. Maar – het is een ontnuchterende constatering – het betreft hier een schaars goed. Haal de krantenkoppen van de laatste tijd maar eens voor de geest.

Het consumentenvertrouwen is op een dieptepunt. Ook het vertrouwen in de veiligheid van onze levensmiddelen is zoek; gekkekoeienziekte, genetische modificatie, het gaat maar door. In de kapitaalmarkt is het vertrouwen van beleggers geschokt door het uit elkaar knallen van de e-ballon, de grote beursschandalen en het Grote Graaien door een aantal van onze erkende toppers.

In de arbeidsmarkt bieden de Sociale Reuzen van vroeger – ondernemingen als Philips en Shell – geen banengarantie meer voor het leven. Veel merkwaardiger zijn echter de prikklokken en parafen, die nog steeds onze verticale hiërarchieën domineren. Zoals Michels vroeger de slaapkamers controleerde om zeker te stellen dat de mannen wel in bed lagen, zo kijken veel bedrijven of hun medewerkers wel aanwezig zijn, niet of ze werkelijk presteren. En het eerste dat je in geval van ziekte merkt van de meeste werkgevers is een controleur, die checkt of je wel echt ziek bent!

In de buurt durven veel mensen 's avonds nauwelijks meer op straat. Kwestie van je medeburgers niet voldoende meer vertrouwen. En de politiek: ach, onze politici zijn al helemaal niet te vertrouwen. Zelfs niet als ze, zoals het kabinet Balkenende I, een mooi motto als titel voor hun regeerakkoord hanteren: 'Werken aan vertrouwen.'

Onze politieke voorlieden hadden overigens met die slagzin wel gelijk. Vertrouwen ontstaat niet zo maar, je moet eraan werken. Dat is wat ook de tekst van Hiddema benadrukt. De psychologen bieden ons een handreiking om dat beter te begrijpen. Zij onderscheiden drie treden in de opbouw van vertrouwen binnen organisaties en het is aan de leider om zijn pupillen bij de beklimming daarvan te helpen.

Bij elk van ons begint vertrouwen natuurlijk bij je familie, je buurt, een paar goede vrienden. Na verloop van tijd vergroot je wereld zich.

Bouwend op die thuisbasis volgt er dan een trap met drie treden en het is aan de leider om te zorgen dat zijn (mede)spelers die ladder succesvol kunnen beklimmen.

Op de eerste trede spelen de zogenoemde **instituties** een hoofdrol. School, verenigingen, 'de overheid' in algemenere zin bieden zekerheden maar stellen aan de andere kant ook hun eisen. Er is een leerplicht en vanaf onze pupillenjaren weten we dat er bij het voetballen een opkomstplicht is; je laat je elftal in de steek door niet te komen opdagen. Het gaat om waarden en normen, om het met onze minister-president te zeggen. In een samenleving moeten we bereid zijn om een beetje van onze vrijheid op te geven voor het grotere goed. We krijgen daarvoor een aantal zekerheden terug, de waarschijnlijkheid bijvoorbeeld dat de meesten van onze medeburgers zich ook aan de regels zullen houden en het vertrouwen dat in geval van extreme nood het collectief zorgt voor een vangnet.

Die waarden en normen komen niet vanzelf. Johan kreeg ooit de vraag voorgelegd: heb je vertrouwen in de jeugd? 'Ja,' zei hij, 'als er maar voldoende discipline is. Dat heeft ook te maken met respect naar anderen toe. Eerst afspraken maken en je vervolgens daaraan houden. Kom op tijd, daar begint het al mee. Strengere regels zouden geen kwaad kunnen.'

Leiders van instituties – voetbalclubs maar ook scholen en zelfs bedrijven – kunnen daaraan werken. 'Daarom is sport zo goed. Zonder regels is er geen spel. Sport houdt automatisch discipline in. Bij tennis mag je maar twee keer serveren – niet drie keer. En die witte lijn is er ook niet voor niets.' Jonge mensen groeien daardoor naar een volwaardige rol in de samenleving. 'Zo leer je je spelenderwijs aan te passen en respect te tonen. Respect voor de regels, de scheidsrechter, de meester en de politieagent, zo simpel is het. Daarom moeten we ook niet bezuinigen op sport – ook op scholen niet. Gymnastieklessen zijn er niet voor niets.'

Dat vraagt wat van de spelertjes maar ook van de instituties. Instituties hebben de neiging te verambtelijken en het zicht op hun pupillen te verliezen. Ze zien zich niet langer als middel maar als doel, waarbij de banden te eenzijdig worden: je mag blij zijn dat 'we' je een kans geven.

Johan liep daar zelf hard tegenaan, toen het Ajax-bestuur zich in zijn jonge jaren niet kon voorstellen hoe je je eigen club in de steek kon laten. De club zorgde immers goed voor jonge jongens als Cruijff en die moesten dankbaar zijn en tekenen. Zijn schoonvader Cor Coster beschrijft zo'n onderhandeling: 'Het bestuurslid De Boer besloot op de psychologische toer te gaan en vertelde dat hij een bedrijf bezat in brandblussers en dat hij vele malen miljonair was. Maar na al die jaren was hij tot de conclusie gekomen dat geld niet belangrijk was en dat hij er geen nacht wakker van zou liggen als hij een paar miljoen minder had. Plotseling stond Johan op en richtte zich tot het bestuur. "Mijne heren, ik denk dat het probleem nu is opgelost. Hij wil van zijn miljoenen af en ik wil ze hebben." Johan leerde snel.'

Er is een moment dat mensen volwassen genoeg zijn om met de groepen direct om hen heen hechte banden te ontwikkelen, die voor hen van groot belang zijn. De taak van de leider bij het beklimmen van deze tweede trede op de vertrouwensladder verschuift naar het bevorderen van het teamverband, met zijn nadruk op gedeelde **processen**.

Die groepen moeten op je kunnen rekenen zoals jij op hen kunt rekenen. Dat uit zich bijvoorbeeld op sociaal gebied. Op school, op je werk, op voetballen sluit je je aan bij groepen, waarin je je op je gemak voelt. Omdat je bij die groep wilt horen, pas je je aan. Je draagt dezelfde kleding en dezelfde haardracht, zingt dezelfde liedjes, gaat naar dezelfde kroegen en vereert dezelfde helden.

Danny Cruijff heeft ongetwijfeld een enorme invloed op de Nederlandse jeugd gehad, toen ze Johan ertoe bracht zijn haar te laten groeien. 'Als ik een tijdje langer haar draag,' observeerde het rolmodel al in 1978, 'dan krijg ik prompt ik weet niet hoeveel brieven van moeders, die me smeken om toch alsjeblieft naar de kapper te gaan. Omdat hun zoontjes nu ook niet willen.'

Ik ben een keer keurig in mijn nette pak naar Nederland-Noorwegen in de Kuip geweest. Zelden is er iemand, staande achter de hoekvlag tussen vele naakte, in oranje of rood-wit-blauwe oorlogskleuren beschilderde lieden, meer uit de toon gevallen. Sinds die tijd hebben we thuis een rijk gesorteerd verkleedkoffertje voor wedstrijden van het Nederlands elftal.

Onze processen kennen vele vormen. De petjes achterstevoren op het hoofd, van Michael Jordan afgekeken en overgewaaid naar alle continenten. De dingen waarover je praat met collega's bij de koffie. De keren dat je 'de beurt' kreeg, zoals we dat in mijn voetbalelftal L.V.V. 7 noemden. Van alles de schuld had, al stond je vijftig meter van de bal. En aan het eind werd je verwacht wat eerder in de kantine te zijn om het eerste rondje op tafel te zetten.

'Gezellig' noemen we dat in Nederland en, het zij toegegeven, het maakt een enorm verschil of je 'erbij' hoort of niet. Denk nog maar eens aan de onzekerheid als je een nieuwe baan kreeg. Waar bleek dat de regels van de institutie – van negen tot vijf, een uur middagpauze – in feite heel anders werden ingevuld. Omdat 'we', bij ons op de afdeling, pas om kwart over negen beginnen en niet voor zessen naar huis gaan. Het kost je een paar weken, maar dan weet je niet beter.

De leider heeft tot taak ervoor te zorgen dat zijn organisatie er op dit gebied uitspringt. De organisatiecultuur – ik kom daar later op terug – moet deze banden ondersteunen, temeer omdat de processen binnen een groep naast een sociaal ook een puur inhoudelijk belang hebben. Je medespelers moeten immers op je kunnen rekenen en daarom is het zaak altijd de jou toegewezen taken uit te voeren. Vooral jonge spelers hebben hier vaak moeite mee, zoals Cruijff ervoer: 'Omdat onze spelers erg jong zijn, lijkt het soms alsof ze willen showen voor het publiek en hun taken vergeten. Dat is een van onze grootste problemen. ... Als je de bal verliest, wat doe je dan? Als iedereen doet wat hij zelf goed vindt, denk je niet als een team. Je wint of verliest nooit in je eentje. En daarom praten we over discipline.'

Wanneer ben je tevreden over een wedstrijd van jezelf? 'Ik vind nooit dat ik slecht gespeeld heb omdat ik díé en díé kans heb gemist, of in een aantal dribbels ben mislukt,' antwoordt Ruud Gullit. De maatstaf hoort te zijn wat je medespelers van je vinden. 'Ik speel alleen slecht als ik mijn taken niet uitvoer. In mijn Feyenoord-periode zei Cruijff vaak tegen mij: "Het is veel makkelijker om goed te spelen dan om te voorkomen dat je slecht speelt."'

Ik moet toegeven dat ik deze uitspraak een keer of tien heb gelezen en hoewel het mooi klonk, kon ik er geen touw aan vastknopen. Totdat Gerrie Mühren me te hulp kwam: 'Ik heb Cruijff nooit slecht gezien. Johan was altijd goed. Ook al speelde hij slecht. Dan bond hij drie, vier man aan zich. Ze waren als de dood voor Johan. Je moest als tegenstander gestaffeld achter hem staan, anders was je gezien. Eén tegen één was hij niet te houden. Flits en hij was gewoon weg. Onhoudbaar.' Cruijff had als taak drie, vier man te binden. Zelfs als hij niets klaarde, bleef hij bewegen, dreigen. Zijn teamgenoten konden daarvan uitgaan. Die zekerheid moet je opbouwen.

Gullit herneemt zijn uitleg: 'Ik kan zesjes spelen, en achten of negens, maar ik speel heel zelden nog een vier. Als je een topspeler wil worden, komt het erop aan te leren om je niveau vanaf zes of zeven te laten beginnen, en niet meer vanaf vijf of vier. Daar gaat het om.'

Komt dat met de leeftijd? 'Het komt vooral door de ervaring, je moet eerst heel veel gevoetbald hebben. Als het vroeger wat minder ging, dacht ik altijd: nu moet ik een paar goeie dribbels maken. Want als je een paar mannetjes passeert voel je je weer fijn. Door de ervaring ga je die dingen omdraaien: je begint vanuit je taken. Je zegt: dit is mijn taak, dat moet ik doen, en daarna kijk ik wel of ik eventueel nog iets meer kan gaan doen.'

Als anderen op jou kunnen rekenen en jij op hen, groeit het wederzijds vertrouwen. Een team wordt dan meer dan de som der delen. Niet iedereen kan dat. Cruijff trof bij zijn aantreden als coach van Barcelona Romario, 'een voetballer die alles kon, een echte klassespeler'. Toch nam hij afscheid van zijn ster: 'Hij was niet gedisciplineerd en dat was een probleem waar ik mee te maken kreeg. Als je veel sterren in een team hebt, zijn er grenzen aan wat ze zich als individu kunnen veroorloven. Iedereen moet respect voor elkaar hebben, wat betekent dat je niet moet doen wat anderen ook niet doen, want dan wordt het een chaos.'

Er is een derde trede. Mensen beklimmen die wanneer ze zichzelf willen ontdekken, met inbegrip van wat zij in het leven voor anderen kunnen betekenen. Zij ontlenen hun vertrouwen dan aan de **identificatie** met andere mensen: mensen op wie zij willen lijken. Het is het soort vertrouwen waar het om gaat op topniveau en juist op dit gebied is een speciale taak weggelegd voor leiders in hun rol als mentor voor doorbrekend talent. Ik heb het hier niet over de superster die je als jongen verafgoodde, ik praat hier over echte rolmodellen. Mensen die je als volwassene bewondert om wie ze zijn, wat ze zeggen of doen, aan wie je je wilt spiegelen. Ze dienen als gids wanneer je eigen keuzen maakt en als mentor wanneer je vastloopt.

Doe zelf maar eens een eenvoudig testje. Pak een stukje papier en een potlood, kopje koffie erbij, voeten op tafel. En schrijf dan op welke drie mensen, buiten je ouders, de grootste invloed op je hebben uitgeoefend. Mensen, aan wie je met dankbaarheid denkt. Mensen ook, waarvan je hoopt dat je eens een bepaald aspect van het leven zo zult beheersen als zij. Als je dan naar je lijstje kijkt, zul je vrijwel onveranderlijk zien, dat twee van de drie hun grootste invloed op jou uitoefenden toen je tussen de zestien en zesentwintig jaar oud was. Je was als het ware uitgeleerd bij je ouders. Je wist wat je wilde overnemen en wat beslist niet. Maar je was nog jong genoeg om bij te leren van anderen. Om af te kijken en na te doen. Maar vooral schonken ze je hun vertrouwen of wezen je een weg. Ze bleven op een heel spannend moment in je leven achter je staan. Dat zijn zeldzame mensen, omdat ze je daardoor zelfvertrouwen gaven. Je bleek dingen te kunnen die je niet voor mogelijk had gehouden.

Een paar jaar geleden kreeg Johan zelf de vraag voorgelegd. Helemaal los van voetbal, welke persoonlijke lessen heeft het leven je geleerd? 'Ik heb het geluk gehad dat ik een heleboel hele goede mensen tegengekomen ben.' In zijn geval waren dat Horst Dassler, Anton Dreesmann en Sonny Werblin. Dassler was de eigenaar van Adidas en medevormgever van de Olympische Spelen. Cruijff had als jonge voetballer altijd veel vragen en Dassler gaf les: 'Hij zegt: intelligentie is niet zo verschrikkelijk belangrijk. Hij zegt: de meeste informatie is belangrijk. Ik zit hier op een stek dat ik bijna alle informatie heb. Het is dan heel moeilijk om verkeerde beslissingen te nemen, dan maak je geen fouten. Maar als je iemand hebt die heel intelligent is maar heel weinig informatie heeft, die is er veel slechter aan toe. Dus je hoeft niet zo verschrikkelijk intelligent te zijn. Je moet alleen kijken dat je de maximale informatie hebt, dan ben je bijna niet te verslaan.'

Anton Dreesmann was jarenlang de drijvende kracht achter V&D. 'Als je daar een half uur tegenaan kon praten of die hoorde je praten, al begreep ik de helft van de tijd dan niet helemaal waar hij het over had, over technische en financiële dingen, maar als je die levensfilosofie daarachter neemt, zoals hij dus zo'n heel bedrijf in handen had, dan leer je daar veel van.'

Sonny Werblin was de eigenaar van Madison Square Garden en tevens van de Washington Diplomats waar Cruijff een seizoen speelde. 'De denkwijze die die gasten achter sport hebben op financieel gebied... Ik heb daar, zeg maar, op de hele hoge school gezeten.' Johan verwachtte bijvoorbeeld een Europese contractonderhandeling met veel loven-en-bieden, maar ze legden alle kaarten open op tafel en zeiden: dit is 't. 'Ik denk: ja, dat is eigenlijk de manier. Zo hoor je met mensen om te gaan.'

Cruijff staat als coach bij veel van zijn jonge voetballers op hun lijstje van drie; interview op interview getuigt daarvan. Johnny Rep: 'In het begin bij Ajax was Johan Cruijff mijn mentor.' Peter Boeve: 'Ik heb enorm veel van hem geleerd, vooral wat de details betrof.' John van 't Schip: 'De trainer die mij het meest heeft gevormd was Cruijff, zoals trouwens alle spelers zeggen die met hem gewerkt hebben.'

Maar je kunt het ook als buitenstaander zien. Oud-bondscoach Jan Zwartkruis vertelt bijvoorbeeld over het piepjonge Ajax-team, dat in 1987 de Europacup II won: 'In de finale liet hij Frank Verlaat voorstopper spelen. Wie is Frank Verlaat, riep heel Nederland.' Ik moet toegeven, dat ik een integraal onderdeel van heel Nederland uitmaakte. Het vervolg van Zwartkruis is daarom belangrijk: 'Maar die jongen was perfect geïnstrueerd en wist precies wat hij wel en niet moest doen. En hij hoefde ook niet nerveus te zijn, omdat Cruijff de spelers die zijn opdrachten uitvoeren, altijd in bescherming neemt. Iedereen mag slecht spelen, als ze het maar in de discipline doen.'

Het heeft wel wat en niet iedereen heeft het. Ook dat is een taak van de leider. Om te onthouden.

Stuur op rendement

Even terug naar Jan Zwartkruis en zijn gebruik van het D-woord: discipline. Hij voegde namelijk iets opmerkelijks toe: 'Kijk, daar heb je die norm weer!' Cruijff hanteerde volgens Zwartkruis een eenvoudige norm: 'Het rendement voor de ploeg was de norm. Diezelfde norm loopt als een rode draad door de carrière van Cruijff. Talent en karakter interesseerden hem alleen, als dat op het veld wat opleverde.' Johan zelf geeft een prachtige illustratie toen hij werd 'lastiggevallen' met een vraag over 'uit vorm zijn': 'Het woord vorm houd ik niet zo verschrikkelijk van. In vorm zijn, uit vorm zijn? Het is meer een kwestie dat je jezelf wat wijs maakt.'

Dat nu moet je nooit doen. Daarom volgt er een college, waarin wegdraaiend van het te vaak misbruikte begrip vorm de essentie van discipline en rendement in elkaar worden verweven:

> 'Vorm lezen wij vaak af aan het rendement van... Bijvoorbeeld, ik heb een balletje, dat schiet ik op goal en dat gaat erin. Dan ben ik in vorm. Morgen pak ik die bal en die schiet ik naast. Ik denk niet dat dat direct vorm is, ik denk dat het meer een kwestie is van taakbewustzijn, weten wat je doen moet. Het zou voor mij een te simpel excuus zijn.
> Ik vind dat je uit moet gaan van je taken. Als ik als spits de taak heb,

als mijn rechtsbuiten voorzet, dan moet ik eerste paal gaan. Gaat die bal over mij heen, dan is het goed. Gaat die bal achter me langs, dan is het ook goed. Maar hij mag nooit voor me langs gaan.
Dus ik moet er op tijd zijn, niet te vroeg, niet te laat, op tijd. Dat is het enige dat telt. Als je er op tijd bent, dan is de mogelijkheid dat ik een goal maak, heel groot. Maar ik moet er wel op tijd zijn. In vorm zijn zou ik vertalen: ik ben er op tijd.'

Als iemand minder rendement heeft, kan dat dus om twee redenen zijn. 'Hij is niet goed genoeg of hij zoekt niet de positie waar zijn rendement maximaal kan zijn.' Dat laatste is niet te excuseren.

Je krijgt zelfs begrip voor Cruijff's roemruchte harde aanpak van de topspelers: 'Om goed te voetballen, heb je goede voetballers nodig, maar een goede voetballer heeft bijna altijd het probleem van een gebrek aan rendement. Hij wil het altijd mooier doen dan strikt noodzakelijk.' Dat valt in de categorie zware zonden en dus moet er in voorkomende gevallen hard worden ingegrepen. Zoals bij het versnelde afscheid van Michael Laudrup van Barcelona. Johan: 'Het ontbreekt Laudrup aan primitieve woede om te winnen. Dan moet ik als bewaker van het rendement van het elftal ingrijpen. Tegen mijn voetbalhart in.'

Voetbal is een simpel spel en moet ook zo worden gespeeld. Eén keer raken, niet te veel dom hardlopen, je maten de zekerheid bieden dat jij voor je taken berekend bent. En geen zwakke smoezen over 'uit vorm zijn'.

Toch past mij een voetnoot, omdat ik het – het is een uitzondering – niet geheel met Johan eens ben. Hij draait mij wat te makkelijk weg van het in en uit vorm zijn. In feite attendeerde Marco van Basten mij daarop in een interview uit 1991. Ik raad u aan het citaat goed te lezen, omdat er buiten de sport te weinig over wordt nagedacht.

Hier is een gerijpte topsporter, een superster bij AC Milan die probeert zijn vak te begrijpen: 'Ik ben altijd nieuwsgierig naar bepaalde psychologische aspecten. Hoe kan het dat een speler zoals ik een week of zo later zo'n terugslag krijgt? Hoe kan het dat een voetballer op latere leeftijd zijn vorm langer kan vasthouden? Hoe kan het dat vooral een aanvaller veel ups en downs meemaakt? Toppolitici en topzakenlui moeten ook hun mindere periodes kennen. Ik wil graag weten wat er bij hen leeft.'

Het is opvallend dat ook Van Basten een 'praatpaal' – zijn woord – zocht buiten de sport, in zijn geval Milan-president Berlusconi. Waarschijnlijk zijn toppers, die de derde trede van de vertrouwenstrap hebben bereikt in hun directe vak, 'uitgeleerd'. Maar ze blijven zoeken naar andere mensen aan wie zij zich kunnen spiegelen en die vind je vaak elders, buiten je directe werkkring. Daarom lezen veel toppers in het bedrijfsleven vermoedelijk ook graag biografieën van Grote Leiders.

Hoe je het ook wendt of keert met dat in of uit vorm zijn, vast staat dat je als leider bereid moet zijn om grootschalig te investeren – ik kom daar meer uitgebreid op terug – in de vertrouwensopbouw binnen je organisatie. Cruijff richtte zich daarbij speciaal op jongeren, waarbij de liefde wel van twee kanten moest komen: jij krijgt vertrouwen, ik discipline. Dat stelt hoge eisen aan zowel leraar als leerling, maar het rendement kan enorm zijn. Zoals ook onze betere ondernemingen weten.

Het zijn niet alleen de officiële coaches maar ook de oudere spelers, die hier de weg moeten wijzen in dit mentorsysteem. Thijs Libregts, de coach van Feyenoord in het ene jaar dat Cruijff daar speelde, benadrukt dat: 'Teamdiscipline was en is een heel belangrijk woord voor Johan. Hij had veel geduld met spelers, maar ze moesten wel hun taken uitvoeren. Voor de jongere spelers was hij even kritisch als voor de oudere. De uren en de moeite die hij aan Ruud Gullit heeft besteed zijn niet te tellen. Gullit luisterde ook goed naar hem. Volgens mij heeft hij dat jaar erg veel geleerd.'

Arnold Mühren herinnert zich hoe dat zo'n vijftien jaar eerder ging met 'goudhaantje' Johnny Rep: 'Hij moest wel eens tot de orde worden geroepen en meestal deed Johan Cruijff dat. Dan stond Johnny in een wedstrijd te slapen en dan pakte Johan hem keihard aan. Johan heeft hem zelfs een keer uit het veld gestuurd, omdat hij er met z'n pet naar gooide.'

Rep hoort tot de categorie late bekeerlingen: 'Hoewel ik dat toentertijd niet altijd zo zag, heb ik ontzettend veel van hem geleerd. Niet alleen speltechnisch, qua looptechniek bijvoorbeeld, maar ook mentaal. Naderhand realiseerde je je dat je mentaal hard wordt als je continu op je lazer krijgt. Er zijn zat jongens aan onderdoor gegaan, maar het was nu eenmaal heel belangrijk.'

Johan stond niet alleen met de begeleiding van 'poulains', om maar een keer een wielerterm te gebruiken. Mühren wijst op andere koppels: Piet Keizer ontfermde zich over Gerrie Kleton, Horst Blankenburg over Heinz Schilcher, terwijl broer Gerrie hemzelf 'een beetje in de gaten hield'. Het doet denken aan het klassieke gildesysteem met zijn rangorde meester-gezel-leerling.

Zou het ook niet buiten de voetballerij van toepassing zijn? Voor ieder van ons zijn het vaak de leermeesters – een professor, een eerste baas, een collega misschien – die op ons lijstje-van-drie figureren. Omdat we in de discipline speelden, verdienden we hun vertrouwen. Zij namen ons daarom, ongeacht wat, in bescherming. Het belangrijkste van leiderschap is en blijft de rugdekking die je krijgt.

OVER HET RENDEMENT VAN CRUIJFF

Wat was het rendement van Johan Cruijff voor het Nederlands elftal? De Werkgroep Voetbal & Statistiek berekende het 'Cruijff-effect'. Cruijff speelde tussen 1966 en 1977 48 interlands, waarvan 65 procent werd gewonnen. In dezelfde periode liet hij 30 keer verstek gaan, waarvan slechts 37 procent in winst eindigde. Zonder hem scoorde de nationale trots gemiddeld 1,1 doelpunt per wedstrijd, met hem was dat 2,5 waarvan Cruijff meer dan een kwart voor zijn rekening nam.

Vergelijk je deze resultaten met die van andere toppers uit dezelfde periode zoals Willem van Hanegem en Johan Neeskens, dan blijken het winstpercentage en het aantal doelpunten ongeveer hetzelfde te zijn in de wedstrijden waarin zij wel of niet speelden.

Via een ingewikkelde formule corrigeerde de werkgroep de resultaten voor de kracht van de tegenstander. Een gelijkspel tegen een sterk land als Brazilië telde bijvoorbeeld zwaarder dan een magere overwinning op Malta. Daaruit werd per tegenstander het verwachte aantal goals bepaald en dat kon worden vergeleken met het werkelijke aantal. Wordt het laatste getal gedeeld door het eerste, dan verkrijg je een prestatie-indicator: bij een meting hoger dan 1, is boven verwachting gepresteerd, lager dan 1 wijst op een prestatie beneden verwachting.

In de periode 1966-1977 behaalde het Nederlands elftal op deze wijze berekend een 1,04: het team scoorde net iets vaker dan verwacht. Wordt alleen gekeken naar de wedstrijden dat Cruijff meedeed, dan is de score echter 1,33. Volgens de wetenschappers in de werkgroep, mensen van universiteiten en adviesbureaus, is het verschil statistisch relevant, het is dus geen toeval. Zij aarzelen daarom niet: het Cruijff-effect – verkregen door de score mét Cruijff (1,33) te delen door die zonder hem (1,04) – is 1,28. Met andere woorden: met Cruijff nam de productiviteit van het Nederlands elftal met 28 procent toe.

Bij zowel Van Hanegem als Neeskens was dit niet of nauwelijks het geval. Omdat beiden echter middenvelders zijn, heeft de werkgroep ook nagegaan of hun bijdrage wellicht gelegen zou zijn in een minder dan verwacht aantal tegendoelpunten. Daarvan bleek bij zowel hen als Cruijff geen sprake te zijn.

(Bron: *NRC Handelsblad*, 17 april 1997)

Ontwikkel teamintuïtie

Het was indertijd een mooie vraag en het antwoord is bijbehorend. Word je niet moe van al dat opletten op die Barcelona-bestuurders die constant aan je stoelpoten zitten te zagen? 'Valt mee. Het is mijn tweede natuur geworden.'

Johan's daaropvolgende uitweiding is echter verhelderend: 'Er zijn weinig dingen die me ontgaan. Als ik hier zit te praten weet ik wat daar' – hij wijst op de hoek waar wat spelers zich ophouden – 'gebeurt. Had ik als speler al. Een soort intuïtie. Alles wat op het veld gebeurde, zag ik. In een oogopslag.'

Inzicht staat je toe heel veel dingen tegelijk te zien. Het is steeds weer amusant om Cruijff als commentator te horen: het is allemaal heel vanzelfsprekend, zelfs als jij in je luie stoel er geen hout van begrijpt. Voor hem is die overvloed aan informatie, waarin een normaal mens verzuipt, allemaal simpel: 'Dat hou je bij elkaar zoals een biljarter zijn ballen bij elkaar houdt. En dan loopt die ene bal wel eens weg, maar je weet waar-ie heengaat en waar-ie terugkomt.'

Is dat nu abnormaal omdat Cruijff een heel begaafde en ervaren voetballer is? Ik denk het niet. We hebben het allemaal op ons vakgebied. Maar voorwaarde is wel dat we dat vak beheersen. Je moet daarvoor beschikken over kennis: ervaring die je in woorden kunt uitdrukken. Die kennis doe je op in de schoolbanken of door het oefenen onder leiding van gediplomeerde trainers op het oefenveld. Maar je moet ook beschikken over een hoogontwikkelde intuïtie: ervaring die je niet in woorden kunt uitdrukken. En die doe je op door te spelen en door af te kijken van mensen die 'er al eerder geweest zijn'.

Het is een belangrijke bouwsteen in het leiderschap van Johan Cruijff waarvoor de basis werd gelegd door Rinus Michels.

Columnist Auke Kok beschrijft prachtig hoe Johan naar een wand met acht schermen keek: 'Als je nadacht over een opmerking van Cruijff inzake een foutieve voorzet op monitor 2, uitte hij zijn ongenoegen over een balbehandeling op monitor 1, en terwijl je die opmerking tot je liet doordringen, legde hij alweer uit waarom een speler elders op de wand over de "fijngevoeligheid van een olifantspoot" beschikte. Het ging gewoon van "naar links die bal, naar-links!" en van "die bal had natuurlijk door het midden gemoeten!" en dat bij, pakweg, Dynamo Kiev tegen Celtic Glasgow. "Buitenspel. Túúúrlijk."

"Weet je al wat je straks wilt zien, Johan?" vroeg de eindredacteur. Nee, natuurlijk niet, dacht ik, laat die man even. "Dat lijkt me wel duidelijk. In ieder geval dat schot voorlangs van de man die aanvoerder werd toen X eruit ging." Welk schot? Welke aanvoerder? Welke monitor? Maar de eindredacteur leek precies te weten wat Cruijff bedoelde. Tevreden stiefelde hij weg.'

Herinnert u zich het citaat van Bert Hiddema met zijn nadruk op vertrouwen? De eerste paar zinnen daarvan zijn prachtig: 'Michels blijft erop hameren dat zijn ideale team een eenheid moet zijn. "Eén geheel, dat niet denkt maar speelt. Alles moet automatisch gebeuren, want wie nadenkt is te laat."' Of zoals Johan het uitdrukt: 'Het ideale team vormt een eenheid van mensen, die elkaar blindelings kunnen vinden.' Als intuïtie hetzelfde is als ervaring die je niet in woorden kunt uitdrukken, dan heeft hij het dus over teamintuïtie.

Ik vroeg u eerder een testje te doen. Nu u op gang bent, is er misschien een tweede testje dat weer een wezenlijk punt over het voetlicht kan brengen. Jaren geleden hield ik op een groot studentencongres – de helft studenten, de helft topmanagers – een verhaal over strategie in een snel veranderende omgeving. Ik had van mijn dochter haar hockeystick geleend en die bij het begin van de speech rechtop op mijn vinger geplaatst. Het merkwaardige is dat zoiets heel moeilijk lijkt, maar dat iedereen het kan. Zelfs zonder oefenen zoals bij duizend keer een bal hooghouden.

Na het dankbare applaus – uitgelokt na twintig seconden balanceren: 'u mag wel klappen' – heb ik het verwonderde publiek uitgelegd, dat ze nu alles hadden geleerd wat er over leiderschap in een snel veranderende omgeving te leren was. Ten eerste, als ik twee seconden mijn ogen dicht had gedaan, was de stick gevallen. Het ging er dus om dat de ogen alle signalen over de snel veranderende omgeving registreerden. Ten tweede, ik kon niet precies navertellen welke corrigerende actie ik met mijn handen had uitgevoerd. Alle signalen waren als het ware rechtstreeks van de ogen naar de handen gegaan, zonder tussenkomst van het 'hoofdkantoor'. Om het met Michels te zeggen: alles moet automatisch gebeuren, want wie nadenkt, is te laat. Ten derde, en dat heb ik altijd het meest verbazingwekkende gevonden: de stick was op elk moment, dat hij op mijn vinger stond, aan het vallen. Hij viel echter nooit, omdat ik voortdurend zo snel corrigeerde, dat het wankele evenwicht werd hersteld.

Een mooi idee is dat. Iets gaat permanent fout maar eindigt nooit fout, omdat de ogen alle signalen registreren, de handen zonder nadenken weten wat ze moeten doen, en de gezamenlijkheid alle correcties aanbrengt voordat de zaak omvalt. Dat is de essentie van teamintuïtie: het team heeft geen woorden nodig om wel als collectief te handelen.

Frits Barend en Henk van Dorp schreven in mei 1987 een prachtig artikel in *Nieuwe Revu* met als titel 'Het recept van Cruijff: het Ajaxsysteem'. Het is een verbluffende serie korte interviews met de spelers van Ajax, de winnaars van de Europa Cup II van dat jaar. Voor de fijnproevers, namen als Menzo, Van Basten, Rijkaard, Wouters, Mühren, Bosman, Winter, Spelbos, Boeve, Blind, Silooy, Scholten,

Van 't Schip, Bergkamp en Witschge. Elke speler vertelde over de eigen taak binnen het grotere geheel.

Ik heb er een uitgekozen, maar het is een willekeurige keus: alle verhalen zijn vergelijkbaar. Jan Wouters: 'Mühren en ik moeten in principe achter de bal blijven. Als Mühren op links de bal heeft en Rijkaard komt op naar het middenveld, schuif ik van rechts door naar het midden. Blijf ik in mijn zone, dan ontstaat er achter Rijkaard een te gevaarlijk gat. Als ik in balbezit ben, trekt Mühren naar het midden. Als er van de vleugel een voorzet komt, moeten Arnold en ik van Johan de tegenstander onder druk houden door aan de rand van het strafschopgebied weggeschoten ballen op te vangen.'

Al die spelersverhalen vormen met elkaar een overdonderende beschrijving van teamintuïtie beoefend op topniveau. Maar pas op: intuïtie is niet aangeboren maar aangeleerd. Het is ervaring die zo vanzelfsprekend is geworden, dat je vaak niet eens meer weet hoe je het zou moeten uitleggen.

Johan vergelijkt het graag met de automatismen van autorijden: eerst doe je alles heel bewust, maar later hoef je niet meer te denken en handel je direct. Maar er zijn ook steeds weer die teams die gezamenlijk hun vak zodanig in de vingers hebben dat ze nauwelijks meer in staat zijn om uit te leggen waarom ze bepaalde handelingen verrichten. De baas-secretaresse combinaties bijvoorbeeld die volledig op elkaar zijn ingespeeld en waar een half woord volstaat; ik prijs mezelf in dat verband gelukkig. Maar kijk ook naar de productieafdelingen waar mensen als collectief afwijkende patronen met een enkele blik herkennen en de bijpassende aanpassingen plegen. Of de serviceverleners die op een signaal van de buitendienst meteen weten wat te doen.

OVER HOGERE SFEREN

Over Piet Keizer: 'We zaten allebei denk ik op een andere golflengte dan de rest. Als Keizer een bal aannam en iets ging doen, dan wist ik al wat er zou gebeuren en waar die bal terecht zou komen. Daar liep je dan vast naar toe. En dan kwam hij er wel. Dat was gewoon een sfeer hoger. Ik weet niet hoe je dat moet omschrijven. Keizer was nu eenmaal iemand die net iets meer kon dan de rest.'

Godfried Bomans interviewde Cruijff over een bijzondere goal: Ik herinner me nog die ene keer dat je naast het doel stond en dat je met een paar goocheltrucs de bal via je knie en een voetpunt achterover trok, voorzette en toen zat hij erin. Via een kopbal van Piet Keizer, geloof ik. 'Nee, ik dacht dat het Nico Rijnders was.'

Denk je soms: hé, laat ik dát eens gaan doen? 'Nee, nee, want als je denkt, dan ben je verloren. Je weet dus dat er iemand opkomt. Ik bedoel: ik had al gezien dat er iemand naar voren kwam en dat hij dus ook vrij stond en dat die bal dan ook zo gauw mogelijk moest komen. En ik dacht: als ik geprobeerd zou hebben die man te passeren, dat het dan te lang geduurd zou hebben. En dan moet er op zo'n moment een heel snelle oplossing gevonden worden en wel zó dat die back er niet bij kan komen en dat ik de bal dus met mijn lichaam afscherm en dan naar de vrije man kan toespelen. Maar dat hij precies op de goede plek terechtkomt, ja, dat is natuurlijk ook wel eens een kwestie van geluk.'

Dat soort samenspel vereist een enorme inspanning. Ongetwijfeld is het recept van Cruijff urenlang, tot in de kleinste details, besproken en geoefend onder leiding van de coach. Altijd gaat het over de plaats van de bal en de verbindingen op het veld. Schaduwspits John Bosman: 'Wat ik moeilijk vind is dat ik op de bal moet letten, dus vaak achter me moet kijken, en tegelijk moet opletten wat Marco doet.' Spelers moeten elkaar kunnen vervangen. Rijkaard: 'Ik speel nu de rol van Koeman. Bosman of Winter speelt mijn rol.' Tegelijk moet er worden aangepast op ieders specifieke kwaliteiten. Sonny Silooy: 'Ik moet ervoor zorgen dat Arnold Mühren goed speelt, ik moet hem rugdekking geven. Ik kan op links minder vaak gaan dan op rechts, omdat je Arnold niet zo vaak heen en weer kunt laten lopen als Jan Wouters.' Voor de leek: de veteraan Mühren was op dat moment zo'n zesendertig jaar oud, terwijl het bijna zevenentwintigjarige 'broekje' Wouters nog als een veulen over het gras draafde.

Vergelijk dat nu eens met de samenwerking op topniveau in bedrijfsleven of bij de overheid. Een werkelijke teamintuïtie is verre van vanzelfsprekend, zoals dat ook in de voetballerij het geval is. De goede voorbeelden zijn meestal op een hand te tellen.

De buitenwacht ergert zich soms buitengemeen aan de uitsloverij van een gedisciplineerde eenheid. René Van der Gijp bijvoorbeeld liet in voorjaar 1987, ondanks het aanstaande landskampioenschap van zijn PSV, zijn irritatie blijken: 'Cruijff en zijn Amsterdamse clan werden de afgelopen weken teveel opgehemeld. Daar word ik een beetje moe van.' Maar dan maakt hij met een soort frisse tegenzin het ultieme compliment: 'In *Voetbal International* noemde Blind in een interview zeker dertig keer de naam Cruijff. Die kan binnenkort weer twee jaar bijtekenen. Ik geef wel toe, dat iedereen in het elftal van Ajax zijn taken goed kent. Bij ons is er soms geen touw aan vast te knopen.'

In het bedrijfsleven en bij de overheid is het niet anders. Veelal geen touw aan vast te knopen en een enkele maal een vergevorderde teamintuïtie. Beroemde keurtroepen waren er, jarenlang bijvoorbeeld Big Blue oftewel IBM en nog steeds Shell. Multinationals waarbinnen iedereen weet waarvoor 'we' staan en daardoor ook op grote afstand van het hoofdkantoor taken naadloos worden uitgevoerd.

Teamdiscipline bouwt op vertrouwen, rendement en intuïtie, steeds met het woordje team ervoor. Het komt je niet aangewaaid, maar groeit door ervaring en inzet. Maar lukt het, dan heb je wat. Het is zoals de Australische rugbycoach Alan Jones – berucht om zijn enorme trainingsarbeid – ooit zei: 'Ik denk altijd maar aan Gucci-schoenen: lang nadat je de prijs betaald hebt, blijft de kwaliteit.'

WAAROM DE DUITSERS WONNEN

Cruijff is duidelijk: 'Als je met 4-0 voorstaat met nog tien minuten te spelen, dan kan je beter twee ballen op de lat schieten en dat die mensen oei, ai roepen, dan als je 5-0 maakt, want dat is alleen maar voor de stand.' Ik herinner me, dat ik onder die omstandigheden als zuivere rechtspoot met mijn linkervoet kon voorzetten. Het individuele en collectieve zelfvertrouwen is dan groot. Zoals dat ook het geval is elders in de maatschappij als het goed gaat.

Maar dat ligt anders als je met tien minuten te spelen met 0-1 achterstaat. Veel spelers worden dan ineens een stuk minder heldhaftig en gooien hun plaatsen in de frontlijn met groot gemak in de aanbieding. Het gaat erom dat er dan nog drie man staan met het hoofd recht op de romp. Dat zijn misschien niet de beste voetballers qua techniek en misschien zelfs niet wat betreft discipline, maar het zijn wel de absolute toppers. Zij winnen dan de kampioenschappen voor hun team en je moet ze in je team hebben. Het is een van de levenslessen die leiders vaak door schade en schande leren. Om het daarna nooit meer te vergeten. De derde eigenschap, die de topper onderscheidt van zijn modale medespelers, is karakter.

Welke schooljongen heeft niet gedroomd van dat ene moment, vijf minuten voor tijd, dat hij de gelijkmaker scoorde? En vervolgens, als je nog niet wakker was van het applaus van het dankbare publiek, die winnende goal in de laatste minuut. Een kopbal, zweefduik à la Bakhuys. Of desnoods een omhaal; zoals Van Basten, bovenhoekje. Een Fallrückzieher zoals de Duitsers het zo mooi noemen.

Nu we het toch over Duitsers en karakter hebben, Cruijff zegt hierover: 'Alleen weet ik wel, dat ze vlak voor de rust en vlak voor tijd niet te vertrouwen zijn. Het is moeilijk te omschrijven, maar tijdens de laatste vijf minuten van een helft beslissen ze meestal een wedstrijd. Dat is typisch Duits.' Doodsangsten hebben we uitgestaan: 1-0 vóór tegen Duitsers met tien minuten te spelen was nagenoeg hetzelfde als een verloren wedstrijd. Zelfs met nog achtentachtig minuten te spelen en 1-0 vóór hadden we het al benauwd. Kun je achteraf begrijpen waarom jullie in 1974 geen wereldkampioen werden? Johan: 'Ik denk dat het een kwestie van de Nederlandse mentaliteit was.' Nederlandse mentaliteit?! 'Ik denk dat je dat gewoon moet accepteren. Toentertijd wonnen we makkelijk omdat we veel beter waren, maar dat ene stukje miste nog.' Dat stukje heet karakter en weer mag je er het woordje team voorzetten. 'We' waren veel beter dan de Duitsers en 'we' wonnen makkelijk van iedereen omdat 'we' veel beter waren, maar 'we' misten nog dat ene tikje extra.

Wat is er dan fout met ons? Johan's uitleg is fascinerend: 'In Nederland bestaan geen extremen. Er bestaat bijvoorbeeld geen extreme armoede en je kan niet extreem rijk zijn. We zitten ergens in het midden en hebben een prettige samenleving, een goed sociaal leven. Maar sport is niet sociaal, het is asociaal.' Sport is asociaal? 'Ja, het is óf jij wint óf ik win.' Maar kunnen we dat niet als heren oplossen, zoals in het bedrijfsleven? De Meester ontneemt ons de illusie: 'Maar je moet karakter bouwen. ... Elk vak is bloed, zweet en tranen. Dat is ook de reden dat we zulke uiteenlopende karakters hebben. Je ziet vaak mensen met weinig techniek die wel karakter hebben. En mensen met veel technische mogelijkheden die dat niet hebben dus moet je ze dat bijbrengen. Ik heb dat op veel manieren geprobeerd maar alleen de harde manier werkt: laat ze vallen, hard, doe ze pijn, en dan komen ze misschien terug.'

De leider moet karakter bouwen; minstens drie man moeten er staan als het spannend is aan het front. Zou het kunnen en wat zijn op topniveau de kwaliteiten die karakter bepalen? Cruijff noemt er drie: concentratie, creativiteit en de wil om te winnen.

Handhaaf de concentratie

Het begrip concentratie komt vaak terug in de gesprekken met Johan. Het klinkt als een wat studieus woord: schakers concentreren zich en wetenschappers die niet afgeleid mogen worden. In mijn studententijd kreeg ik een mooi bordje, dat ik kunstig boven mijn bureau heb gemonteerd: 'Silence please: you now are in the presence of a genius at work.' Het sprak mij meer aan dan de meesten van mijn huisgenoten.

Maar voetballers of mensen die gewoon hun werk doen? Ik heb er mijn twijfels over. Gewoon doorwerken, op tijd eten en je niet opwinden. En toen kwam Cruijff: 'Ik heb altijd iets gedaan, vermoed ik, wat de meeste spelers niet konden opbrengen: elke seconde was ik erbij betrokken. En daarbij hoef je helemaal niet de bal te hebben! In zekere zin wordt het spel gedomineerd door die bal. En toch vormt dat element eigenlijk maar een miniem facet van het totaal.'

Als je de bal hebt, giert de adrenaline en let je wel op, maar – het is een terugkerend punt in de Cruijff-filosofie over leiderschap – wat doet de man zònder bal? 'Ik had de bal dan toevallig vrij vaak, maar wanneer je het in tijd zou uitrekenen, komt het gemiddelde hoogstwaarschijnlijk neer op vijf minuten van de negentig. Uiteindelijk maken de overige vijfentachtig minuten het wezenlijke verschil uit: volledige concentratie.' Hij kan het ook uitleggen: 'Als iedereen scherp speelt, sta je kort bij je tegenstander, je dekt ook kort en dat kan de wedstrijd vaak bepalen. Als de concentratie niet optimaal is, kom je steeds te laat en moeten tien man bloeden voor het verzaken van één speler.'

Aan zulke vormen van concentratie zijn echter twee voorwaarden verbonden. Deze moeten, zeker bij overheid en bedrijfsleven, tot overdenking stemmen. De eerste is dat niemand toe kan met een slappe training. Zeker veteranen kunnen niet zomaar terugvallen op de halfslaap van hun routine. Want, 't is beroerd, ook je scherpte heeft de neiging terug te lopen als je ouder wordt. Luister bijvoorbeeld naar Marco van Basten die zichzelf vergelijkt met Johan Cruijff: 'Kijk, ik heb hem alleen meegemaakt in die allerlaatste periode, toen hij vanwege de leeftijd heel geconcentreerd moest spelen. En altijd praten over tactiek. Als hij altijd zo heeft gespeeld als in die laatste tijd was hij zeker attenter en scherper, minder makkelijk dan ik.'

Het heeft me in dat kader altijd hogelijk verbaasd dat veel 'toppers' niet willen bijleren. Als je bovenbazen vraagt hoeveel managementleerboeken zij gedurende het laatste jaar hebben gelezen, volgt bijna steeds een verbluffend rond getal. Als je diezelfde bovenbazen vraagt of hun arts of hun computerexperts regelmatige bijscholing behoeven, stemmen zij volmondig in. Wie aan het front van de troepen scherp wil zijn, moet immers de meest moderne wapens beheersen. Teveel veteranen denken ook toe te kunnen met een ontspannen training. Dat kan dus niet. 'Wanneer je goed wilt trainen, moet je geconcentreerd zijn. Die concentratie houdt een voetballer nooit langer dan een uur vast. Als de concentratie verslapt, geven de hersenen geen instructies meer, dan gaat de speler over op de automatische piloot. Dan is er van enige scherpte al geen sprake meer, waardoor verder trainen zinloos is.'

De tweede voorwaarde voor concentratie is dat het niet alleen om de spelers aan de frontlijn gaat, maar ook om de bazen. Zo het al ooit gold, dan geldt het hier: goed voorbeeld doet goed volgen. Wie als leider verwacht dat teams zich honderd procent geven, moet zelf voorop gaan.

Na een serie nederlagen speelde het Barcelona van coach Cruijff in september 1989 tegen Legia Warschau. Johan: 'Na zeven weken moesten we nu wel iets laten zien, maar ik was geen moment nerveus dat we niet zouden winnen. Spelers moeten zien dat ik er volledig op vertrouw, ze moeten op zo'n moment in Warschau honderd procent concentratie en rust bij mij zien.'

Maar de leider mag op topniveau ook wat van zijn (mede)spelers verwachten. Weer reageert Cruijff wat korzelig, er wordt hem te veel gepiept en gemiauwd door te verwende sterren en doorzeurende journalisten: 'Motivatie is een woord waar ik niet van houd. Als ik een topspeler die bij mij speelt, in het Nederlands elftal, in het eerste van Ajax, bij Barcelona, op dat niveau, als ik dan moet beginnen aan motivatie, dan stuur ik ze net zo lief weg.' Bij Johan dus geen donderspeeches zoals die van Karel Lotsy. 'Er is maar één manier om te motiveren: als de scheidsrechter op zijn fluitje blaast, moet je er tegenaan en je doet dat de volle negentig minuten. En als je 't niet doet, ga je eruit en verdien je geen geld. Dat is de makkelijkste manier om mensen te motiveren.'

De motivatie om te presteren, de beste te zijn in hun vak, moet in de mensen zitten en in een topteam mag en moet de leider op dat gebied hoge eisen stellen. Het meest indringend kreeg ik het punt ooit uitgelegd door de Amerikaanse schrijver George Plimpton in zijn puntgave boekje *The X Factor.* Plimpton interviewt daarin onder andere Willie Davis, een van de allerbeste American footballspelers aller tijden. Davis was linebacker voor de Green Bay Packers, rond 1965 het kampioensteam van Amerika. Een van zijn vroegere teamgenoten had Plimpton gewaarschuwd: je moet hem vragen naar De Wedstrijd.

Willie Davis betrok toen de schrijver dat deed: 'Je weet dus van De Wedstrijd? Nou, dan zal ik 't je maar vertellen.' En Davis ging terug in de tijd naar een spelmoment, toen een tegenstander met de bal aan de overzijde van het veld aan de loop ging. 'Toen ik het spel zich zag ontwikkelen, wist ik dat ik kon oversteken en hem neerhalen – ik had het eerder gedaan – maar toen begon ik te denken, waarom zou ik me te veel inspannen? Er waren nog teamgenoten aan die kant. Die konden het wel klaren.'

Eerder hadden we over het niet-helpen; medespelers te hulp schieten in plaats van ruimte creëren door weg te bewegen. We hadden het ook over collega's die achter je bleven staan als je in nood verkeerde en de hulp die dan juist wel van groot belang was. Willie Davis voegt een extra dimensie toe aan die rugdekking. In een goed team anticiperen de spelers op hoe het spel zich kan ontwikkelen en zij handelen daarnaar. Een tegenstander die een collega passeert, komt daardoor ook de rest van het team nog tegen.

Tijdens De Wedstrijd brak de man door en pakte vijfentwintig, dertig meter met de bal voordat Davis alsnog de oversteek had gemaakt. Davis: 'Misschien hadden we de wedstrijd daardoor niet gewonnen, maar ik heb mezelf beloofd dat ik nooit meer in een situatie zou terechtkomen waarbij ik me moest afvragen of ik mijn werk beter had kunnen doen. Dat is vandaag nog steeds even belangrijk voor me als 't toen was. Elke dag zeg ik het tegen mezelf: je mag niet één mogelijkheid voorbij laten gaan waar je voordeel uit had kunnen behalen.'

Davis zei ook iets moois over zijn coach, Vince Lombardi: 'Hij was zo veeleisend, dat winnen de makkelijkste oplossing was.' Je hoort hetzelfde geluid van nagenoeg alle spelers rond Johan Cruijff. Ronald Koeman bijvoorbeeld: 'Volgens Cruijff moet je iedere dag het uiterste doen.' Steeds weer: een waanzinnig oog voor details, een streven naar perfectie, een totale concentratie. En nooit tevreden, want er is altijd iets te verbeteren.

Concentratie telt, vooral op de piekmomenten. Eerder hadden we het erover dat een topvoetballer misschien maar vijf minuten per wedstrijd aan de bal is. In de resterende tijd kijkt hij als het ware toe. De kans is groot dat juist in die tijd het spel ineens op de wagen gaat, de vlam in de pan slaat, er heldendaden worden verwacht voor de voorpagina. Helaas weet je van tevoren niet wanneer die piekmomenten precies vallen: 'Wat vaak vergeten wordt, is dat voetbal op een iets hoger niveau zevenentachtig minuten lang routine is. Er zijn in een wedstrijd maar drie minuten – en die natuurlijk onderverdeeld in momenten – waar het op aankomt. In drie minuten win je of verlies je. Daarin wordt de wedstrijd beslist en de rest van de speeltijd is het allemaal een kwestie van routine en een beetje intelligentie.'

In het bedrijfsleven noemden ze het ooit de Momenten van de Waarheid. Er zijn in de meeste organisaties elke dag duizenden van die momenten, bijvoorbeeld wanneer een receptioniste een gast verwelkomt, een verkoper in gesprek raakt met een mogelijke klant of een monteur een keuze moet maken hoe te repareren. Wil je topsport bedrijven, dan wordt op die momenten het verschil gemaakt. Denkt iemand: 'Dat klaren mijn maten wel', dan ben je zo vijfentwintig, dertig meter kwijt. Als de 'routines' niet perfect worden uitgevoerd, word je nooit kampioen. En de eerste vereiste daartoe is concentratie.

Het gaat om de piekmomenten en in een topwedstrijd leef je daar naar toe. Juist bij routinewerk weet je echter niet wanneer je op de top van je kunnen moet presteren. Denk bijvoorbeeld aan de gezagvoerders van onze jumbojets: alles op de automatische piloot tot dat ene moment dat... Denk, dichter bij huis, aan de accountants, de politie op straat, het leger, de bewakingsdiensten. De mensen ook in de controlekamers van de grote procesfabrieken of energiecentrales, kijkend naar een zee van groene lichtjes totdat er drie tegelijk op rood slaan en de computers niet automatisch corrigeren.

Vooral als het team succes heeft, zijn de risico's van verslapping aanzienlijk. Cruijff onderkent dat: 'De ervaring heeft geleerd dat er na zo'n succes onbewust verslapping van concentratie optreedt. Je moet het de spelers verwijten en tegelijk kun je het ze niet kwalijk nemen, omdat het een menselijke reactie is.' Om dan tegen de draad in je troepen scherp te houden, vraagt een enorme inspanning van de leider. Cruijff: 'Als coach moet je een beetje proberen de tegenhanger te zijn van het elftal. Gaat het goed, dan moet je het een beetje temperen. Gaat het zwak, moet je het omhoog duwen.'

Na afloop van het zeer succesvolle seizoen 1986/87, afgerond met het winnen van de Europacup II, concludeerde hij: 'Wel zal ik de touwtjes nog strakker aanhalen. Concentratie en inzet blijven centraal staan. Wie gemakzuchtig is, valt onherroepelijk af. Als je dat van één speler toestaat, is de tweede onderweg.'

Mühren maakt zijn coach daarover een bijzonder compliment:

> 'Van de huldiging is me vooral het moment bijgebleven, dat Johan tijdens de rondrit ineens tegen me zei: "Arnold, daarom ben ik de afge-

> lopen jaren zo tekeer gegaan. Ik ben niet altijd even sympathiek overgekomen, maar we staan wel hier."
> En hij had gelijk. Al die jonge jongens moesten eerst als prof worden opgevoed, omdat ze nooit eerder met dat bijltje hadden gehakt. Omdat ik al een tijdje meeliep, zag ik wel waar hij mee bezig was. Daarom was Johan altijd zo scherp als een mes, ook tijdens de trainingen. Hij verslapte nooit, ondanks alle kritiek.'

Niet iedereen was daarvan op gelijke wijze overtuigd. Ajax leerde de slotles van het recept-Cruijff op hardhandige wijze, toen De Meester na een conflict met het bestuur in januari 1988 ontslag nam. Arnold Mühren: 'Het vertrek van Cruijff was voor de spelers een enorme klap.' Hij vertelt hoe de nieuw aangestelde trainers weliswaar hun best deden, maar de magie niet konden vasthouden. Luister mee en huiver: weet waaraan je begint, want wie de teugels laat vieren, heeft binnen een half jaar geen toporganisatie meer in handen:

> 'Toch holde het achteruit. Dat merkten we vooral op de training. Zo werd het positiespel, waar Johan veel accent op legde, een chaos en op den duur werd er steeds minder aandacht aan geschonken. Alles wat we van Johan hadden geleerd, begon te verwateren.
> Dat zag je vooral in het positiespel terug. Wat eerst altijd vloeiend liep, werd een stuk minder. Johan zat er altijd als een leeuw bovenop en corrigeerde elk foutje. Met alle respect voor de andere trainers, maar Johan was in dat opzicht een klasse apart.
> Het echte sprankelende ging er steeds meer af. Toen merkte ik ook bij de jongere spelers, dat ze zich toen pas goed begonnen te realiseren, hoe groot de waarde van Johan geweest was.'

In maart 1988 ontstond lichte paniek. Tijdelijk coach Barry Hulshoff: 'Wij trachten alles in het redelijke op te lossen en werken hard, maar het vertrek van Johan Cruijff heeft een scheuring teweeggebracht in de hele vereniging. Iedereen is met z'n eigen belangen bezig. Wij hebben te maken met allemaal bv'tjes.' 'De gehele top van Ajax inclusief de spelers hebben schuld aan de terugval,' bevestigt middenvelder Aron Winter. 'Ik weet ook wel dat ik minder speel. Maar een slechte organisatie heeft zijn weerslag op de prestaties. Onduidelijkheid maakt onzeker. Ik speel na de winterstop op een andere plaats, niet meer vast achter de spits, mijn stekkie.'

Zijn conclusie? 'Misschien romantiseer ik de periode van Cruijff wel, maar toen kende iedere speler zijn taak.' En dat vereist teamconcentratie.

Prikkel creativiteit

'Wat je echt nodig hebt is honderd procent concentratie, vooral als je in een laag tempo speelt. Dan zoek je naar iets dat gebeurt waarvan je kan profiteren door de wedstrijd te versnellen.' De Maestro zegt het en hij heeft gelijk. Soms, als de uitdagingen groot zijn en er helemaal geen beweging in zit of andersom alle oplossingen tekort lijken te schieten, zoek je naar een doorbraak.

Concentratie vormt de basis, maar de tweede bouwsteen voor karakter is daarom creativiteit. En hoewel individuele creativiteit nooit weg is, mag je ook hier weer het woord team voor plakken: Hoe krijg je het als leider zo ver dat een team, of een eenheid binnen een ministerie of een onderneming, met een werkelijke oplossing komt voor gestelde vragen?

Teamcreativiteit vereist in de eerste plaats dat alle spelers begrijpen waar ze mee bezig zijn; we hadden het daar al uitgebreid over in het kader van de teamdiscipline. Daardoor hebben alle spelers hetzelfde raamwerk – noem het maar een visie – in hun hoofd, natuurlijk met een nadruk op de eigen taken maar ook met een begrip van het hoe en waarom elders op het veld. Vanuit dat gedeelde raamwerk kunnen ze handelen zonder hun medespelers voor het blok te zetten.

Sommige spelers zijn zo geprogrammeerd dat zij alleen zekerheid hoeven te bieden en rust moeten creëren. Bij Feyenoord was dat bijvoorbeeld André Stafleu, die in zijn eigen woorden zijn spel baseerde 'op zijn loopvermogen'. Hij herinnert zich zijn samenwerking met Cruijff op het middenveld: 'Ik knapte het vuile werk voor hem op, maar dat was bij hem niet zo moeilijk, aangezien hij tactisch heel sterk verdedigde. Je hebt ook spelers die "schijnverdedigen", en dan heb je het zwaar.' Schitterend is zijn beschrijving van het gedeelde raamwerk: 'Johan stelde zich altijd zo slim op dat ik een kans had om de bal af te pakken. Wij noemden dat lokkend verdedigen: je liet zogenaamd een gat open naar een speler en op het moment dat de tegenstander daar intrapte en de bal speelde, dan doken we er bovenop. We zaten dan heel kort op de bal, want als je tussen twee mensen in moet gaan jagen op een gebied van vijfentwintig meter, dan kom je nooit van zijn leven aan de bal.'

Maar ook individuele creativiteit past binnen de totaalvisie, omdat van sommige spelers juist op dit punt een bijzondere bijdrage wordt verwacht. Arnold Mühren over Piet Keizer: 'Je zag hem soms een half uur niet, maar dan deed hij aan die linkerkant ineens dingen; daar stond je verstand bij stil. Iedereen rekende daar ook op. Ook al was hij totaal uit vorm, iedereen wist dat hét moment zou komen. Dan gooide Piet er ineens vier scharen uit en was onnavolgbaar.'

Bij individuele creativiteit gaat het om speelse en soms geniale ingevingen zoals de wondergoal die Marco van Basten scoorde in de finale van het Europees Kampioenschap 1988 tegen Rusland, uit een onmogelijke hoek ineens boven in de touwen. Van Basten daarover: 'Ik dacht: laat ik maar uithalen, want als ik ga aannemen en draaien, daar word je alleen maar moe van. Dus ik wil hem zo hard mogelijk van me af schieten, maar er zat een net voor, dus ik werd een beetje, eh... afgeremd.'

'Een normale speler maakt die niet,' reageert Arnold Mühren. 'Dat is alleen Marco die zoiets kan.' Jan Wouters grijnst er direct na afloop over: 'Van Basten heeft natuurlijk ook niet alle verstand van voetbal. Heb je ooit zo'n idioot gezien als vanmiddag in de finale die uit zo'n hoek op doel schiet? Dan moet je toch een beetje gestoord zijn?' Een beetje gestoord, maar ook een heel goede voetballer die zijn vak tot in de puntjes beheerst. Hoewel... Van Basten vindt dat hijzelf nog veel kan leren van Johan, bijvoorbeeld op het gebied van 'positioneel verdedigen' en illustreert dat aan de hand van trainingspartijtjes: 'Als we twee tegen zes spelen, staan er twee in het midden en zes eromheen. Dan mag je de bal één keer raken en de anderen moeten proberen hem te onderscheppen. Hij ziet dan wat een speler denkt te gaan doen. Dat doet hij beter dan ik.'

Echte toppers weten niet alleen wat ze zelf gaan doen, maar kunnen ook raden wat hun tegenstander van plan is. Gerrie Mühren heeft het in zijn nadagen bij DS'79 ervaren: 'Johan speelde bij Feyenoord. Ik was libero. Bij iedereen kon ik zien waar de bal heen zou gaan. Bij Johan niet. Kwam hij aandribbelen, middenvoor zodat hij alle kanten op kon. Ik zag wat hij in zijn kop had, maar dat voelde hij. Gaf hij de bal net even anders.'

Alle goede voetballers, en ook alle vaklui die hun werkterrein beheersen, hebben een raamwerk in hun hoofd dat hen in staat stelt te raden wat hun tegenstanders zullen doen. Hun probleem is echter dat de heel goede tegenstanders op hun beurt weer kunnen raden wat zij zelf net hebben geraden en op basis daarvan iets geheel anders – buiten het gedeelde raamwerk om – kunnen doen. U heeft dat ook op uw eigen vakgebied. U weet wat normale concurrenten zullen doen omdat u het zelf in hun plaats ook zou doen. Het wordt pas lastig als die concurrenten, dat vermoedend, de zaak ontregelen door een volledig onverwachte actie die niet in het gezamenlijke handboek stond.

Ook medespelers kan dat overkomen. Dat 'net even anders' was bijvoorbeeld Feyenoord-verdediger Michel van de Korput opgevallen toen Cruijff de bal tijdens een wedstrijd hoog in de tribune schoot. 'Ik zei: "Wat flik je nou?" Hij zegt: "Er staat niemand vrij, dus kan ik die bal beter de tribune in rossen. Dan kunnen we teruglopen en ons opnieuw opstellen. Dat is beter dan een risicovolle pass te geven die onderschept wordt. Dan krijgen we een counter tegen." Het zou in mijn hoofd niet opkomen zo'n bal de tribune in te rossen.'

Maar – 't blijft een wijze les van de meester zelf – die individuele creativiteit mag binnen het eigen team niet te gek worden. 'Als het om één of twee mensen gaat, is het makkelijk te beheersen. Maar in de Nederlandse mentaliteit gaat het om negen van de tien. Het goede is dat je op die acht of negen kan rekenen als het om gekke ideeën gaat in plaats van die één of twee.' Uiteindelijk telt immers het resultaat en dat is niet gebaat bij een totale chaos. 'Maar het heeft zijn beperkingen als mensen niet als team samenwerken. Het kan me niet schelen wie wat doet zolang de klus maar geklaard wordt. Als er een verdediger naar voren gaat, prima! Zolang iemand anders maar naar achteren komt om de verdediging af te dekken.'

Idealiter zet je als uitgebalanceerd team zo een wedstrijd naar je hand. Onvermijdelijk zijn er echter een paar wedstrijden per jaar en daarbinnen weer een paar minuten, dat het spel op de wagen is. Er gebeurt niets en de wedstrijd zit op slot, een tegenstander is te sterk, je hebt pech, wat dan ook. De gedeelde visie biedt dan ineens niet meer de vertrouwde antwoorden. De kunst is dan om te schakelen naar een ander raamwerk. Soms heb je een terugvalconcept in reserve, Cruijff geeft daarvan een supervoorbeeld: 'Gerrit Mühren was in die tijd onze zekering. Hij was supertechnisch, had een keihard schot, maar kreeg vooral de taak de bal vast te houden als het mis dreigde te gaan.' Bijna elke topploeg beheerst dan ook meerdere systemen en kan bijvoorbeeld tijdens de wedstrijd van een driemansvoorhoede op twee spitsen overschakelen of een extra verdediger in het veld brengen. Ook daarop kan de ploeg op instructie van de coach in geval van nood terugvallen.

Maar het wordt echt spannend als het team in staat is om, zonder zware instructies van de kant, tijdens de wedstrijd aanpassingen te maken. De spelers moeten daarvoor willen meedenken en de basisvereiste voor een dergelijke teamcreativiteit is een constructieve ontevredenheid. De spelers moeten de ruimte krijgen om het concept in te kleuren en hun inbreng moet serieus worden genomen. Zijn zij immers volledig tevreden met het bestaande, dan zullen zij niet snel nadenken over een alternatief. Never change a winning team en zo. Zijn zij aan de andere kant volledig gefrustreerd door de gang van zaken en wil niemand naar hen luisteren, dan slaat hun gemoedsrust om in destructieve ontevredenheid met op termijn verlies van loyaliteit en uiteindelijk algeheel afhaken.

De kunst van goed leiderschap is dus het waarborgen van een constructieve ontevredenheid. Het is die kunst die bij topbedrijven en gemotiveerde ministeries in hoge mate is geperfectioneerd. De jaarlijkse budget- en planningscyclus is daar net verworden tot het routinematig bijstellen van de plannen van het voorgaande jaar. Bazen dagen hun medewerkers uit met scherpe taakstellingen; medewerkers op hun beurt proberen die taakstellingen te plooien in werkbare actieplannen.

Soms overvragen de bazen en gooien de medewerkers de handdoek in de ring. Dat signaal is duidelijk en omdat velen het zien, is er vaak wat aan te doen. Veel erger is een luie organisatie. Ik ontmoette ooit een manager die trots verklaarde dat hij nog nooit een budget had 'gemist'. Ik ben naar zijn baas gegaan en heb voorgesteld hem over te plaatsen naar een functie waar hij geen gevaar kon. En in ieder geval niet zijn omgeving kon demotiveren.

Dat top-down/bottom-up proces luistert nauw want de creatieve zone is smal. Ik vermoed dat Cruijff op dit gebied als speler en als coach een intuïtieve grootmeester is. Steeds weer stookt hij vuurtjes op onder elftallen die als collectief naar een piek toe moeten groeien. In de pers beleefden we de ene rel na de andere en steeds vormde Johan het epicentrum. 'Cruijff moest en moet een spanningsveld om zich heen voelen om maximaal te kunnen presteren,' constateerde Ruud Gullit. 'Dat vond hij ook voor de anderen de beste manier om je goed voor te bereiden. Ik kan dat niet.' Voor Gullit hoefde het ook niet. 'De concentratie is er wel, laat niemand zich daarin vergissen, maar die uit zich bij mij anders. Trouwens, als iemand me onder druk moet zetten, dan doe ik dat zelf wel.'

Gullit was een grote op het veld, laat er geen twijfel over bestaan. Toch sta ik waar het teamcreativiteit betreft aan de kant van Cruijff. Ik heb er met mijn projectteams bij McKinsey zelfs een recept van gemaakt. Een week voor een grote rapportage trokken wij ons terug op de Veluwe. Een korte agenda, geconcentreerd op dat ene onderwerp, en verder geen afleiding.

De eerste spelregel was die van de Amerikaanse trouwceremonies: speak up now or forever hold thy peace. Wie zijn mond niet opendeed, had zijn recht verspeeld om later te zeggen dat hij 't er eigenlijk niet mee eens was. De tweede spelregel was dat alle bestaande oplossingen ten principale werden afgewezen als onvoldoende.

Zoals Cruijff zegt: 'Ik ben overal tegen. Tot ik een besluit neem, dan ben ik ervoor.' Voorwaarde is immers de constructieve ontevredenheid met het bestaande die dwingt tot het zoeken naar iets beters.

Na een brede en vaak rommelige discussie keken we elkaar aan en beginnend met de jongste formuleerde iedereen zijn aanbeveling. Niet zelden tekenden zich – het zijn schone momenten – de contouren van een nieuw concept. Het kwartje valt. De Duitsers spreken van een Aha-Erlebnis en Archimedes had zijn Eureka. Cruijff drukt het eenvoudiger uit: 'Je gaat het pas zien als je het doorhebt', de titel van dit boek. Maar de ervaring is steeds dezelfde. Ineens is de oplossing kristalhelder, past alles in elkaar wat tevoren onduidelijk en onbevredigend was.

Kan iedereen dat? De een is leerling, een ander gezel en de derde meester. Zo is het ook hier. Teamcreativiteit bouwt op de inbreng van allen. Daarbij helpt het echter als er een Cruijff aan boord is.

Voed de wil om te winnen

Concentratie en creativiteit, maar voor u het zegt: karakter is niet compleet zonder de wil om te winnen. Johan's jeugdvriend Rolf Grootenboer bood de helpende hand: 'Johan wou altijd winnen, een goede eigenschap.'

Er was wel een 'maar', zoals blijkt uit de rijk geschakeerde getuigenissen – soms is het gepast om wat eufemistische woorden te gebruiken – over de altijd-gelijk-hebbende, nooit-verliezende en zo-nodig-vals-spelende Johan Cruijff. Ik beperk mij tot de familiekring.

Vriend Rolf vertelde het hilarische verhaal van de eigenaar-van-de-bal, dat velen van ons op een vergelijkbare wijze hebben meegemaakt:

'Hij kon niet tegen zijn verlies, maar hij had meestal een bal, zo'n rubberen bal die je op kon pompen. Dat was toen al heel wat, had-ie voor z'n verjaardag gekregen. Maar als-ie dan achter stond, dan was het: bal onder z'n arm, en dan ging-ie naar huis toe.'

Broer Henny geeft toe dat het in de familie zit, maar erkent zijn meerdere:

'De kaartavonden, alle soorten spelletjes die we deden ontaardden zeven van de tien keer in complete veldslagen. Als we aan het dammen waren en hij stond achter dan viel ineens, in een fractie van een seconde, het bord met alle stenen op de grond. Idem dito met kaarten, dan liet-ie ze per ongeluk gewoon uit z'n handen vallen. Vals spelen? Constant. De wil om te winnen was heilig voor hem. Als-ie normaal kon winnen deed-ie dat, zo niet, dan ging de trukendoos open...'

Zoon Jordi verklaart de wil tot winnen van niemand vreemd te hebben:

'Als ik vals moet spelen om te winnen, zal ik het niet laten. Maar mijn vader is de maestro, de goede valsspeler. Hij golft en we hebben dat ook wel eens samen gedaan. Dat is echt heel mooi. Hij speelt gewoon vals. We weten niet wat voor handicap hij heeft. Hij zegt misschien wel eens dat hij het fantastisch heeft gedaan, maar dan heeft-ie misschien wel tien ballen in het water geslagen.'

Bovenstaande selectie is het topje van een ijsberg en ik vermoed dat Johan het heeft opgegeven zich te verzetten tegen aantijgingen op dit gebied. Zijn verklaring van zijn golfgedrag getuigt immers van

'Toen ik bij Ajax in de senioren kwam, was ik de jongste. Als er iets gebeurde, kreeg ik altijd de schuld. Op een koude ochtend in december kocht ik met een paar andere spelers een paar witte muizen. In de ijsmuts van Bennie Muller stopten wij er een. Hij had niks in de gaten maar stond tijdens de training wel voortdurend op zijn kop te krabben. Iedereen stond te grijnzen, inclusief trainer Rinus Michels. Alleen Bennie dus niet, die ten slotte de muts van zijn hoofd deed en de muis ontdekte. Zonder ook maar iets te vragen, kwam hij regelrecht op mij af en ik heb toen voor mijn leven moeten rennen, via de trainingsvelden, om het stadion heen, de Middenweg over, het Betondorp in. Zo ging het altijd: ik als jongste was de klos. Overigens hebben de koeken en kazen in het Ajax-restaurant nog veertien dagen last gehad van de muizengrap.'

Piet Keizer: 'Van mijn eerste contractcenten had ik een mooie brommer gekocht, een keurige Solex waar ik heel trots op was. Het vervelende was alleen dat ik steeds op de meest ongelegen en meest onverwachte momenten zonder benzine stond. Totdat ik erachter kwam dat er iemand steeds met mijn brommer vandoor ging als ik met het eerste trainde. Dat was die garnaal uit Betondorp.'

---

grote levenswijsheid: 'Wanneer ik een bal missla, neem ik gewoon een volgende bal.'

Ik vrees dat ik het fenomeen herken. Mijn moeder keek in vroeger tijden altijd iets gespannen naar mijn thuiskomst van voetballen. Met een enkele oogopslag kon ze voorspellen of het een gezellig weekeinde zou worden thuis. Jaren later, toen ik na zeer hardhandig struikelen over vele drempels in Leiden promoveerde, zei ze: 'Hij heeft nu tenminste één ding geleerd: hij kan nu tegen zijn verlies.' Het was bijna goed: in feite had ik geleerd dat ik kon weigeren om te verliezen. Mislukte iets een eerste keer, dan was er een tweede keer en daarna een derde. En werkelijk succes waarop je trots kunt zijn, bereik je pas als iets echt moeilijk is: als je, zeg, tien pogingen hebt moeten doen voordat je de bal er in kon schoffelen.

Johan maakte hier onlangs een goede grap over op een managementbijeenkomst. Internetgoeroe en oud-topbasketballer Roel Pieper had gezegd dat Europa nog veel kon leren van Amerika. Cruijff corrigeerde hem lachend: 'Dan heeft meneer Pieper toch één ding niet goed begrepen. Amerikanen zijn goede verliezers. Europeanen zijn dat niet. Daarom hebben wij het gelijkspel uitgevonden om iedereen tevreden te kunnen stellen.' Er zit wat in, hoewel je zijn stelling ook kunt omdraaien. Winnaars willen winnen en niet gelijk spelen. Juist de Amerikanen hebben dat prachtig onder woorden gebracht: gelijkspelen is zoiets als je zus zoenen.

Maakt die wil om te winnen nu op topniveau, waar het gaat om de strijd van absolute kanonnen onder elkaar, werkelijk wat uit? Johan gaf stof tot nadenken: 'Mensen zeggen vaak dat een ploeg die met tien man speelt, gevaarlijker is dan een ploeg met elf man. Hoe vaak heb je dat nou al niet gehoord? Dat komt alleen maar omdat vijf van die elf denken: ik doe nu een stapje minder, terwijl die tien er juist een schepje bovenop doen.' Zonder de wil om te winnen werd nog nooit een team kampioen. Het is een gemeenplaats, maar als het spannend wordt, moeten er een paar spelers staan die willen doorvechten, als het nodig is tot het gaatje. De hamvraag is: hoe schop je het als leider zo ver?

In de eerste plaats is het zaak de spelers scherp te houden. Leo van Wijk, oud-Ajax en nu Air France/KLM, keek achterom: 'De wil om te winnen zit in de persoon, maar Ajax geeft er wel voeding aan. Ajax is een inspirerende omgeving voor winnaars, voor mensen die de beste willen zijn. Wie geen winnaar is, niet bereid is álles te geven, voelt zich óf niet thuis bij Ajax óf komt niet tot z'n recht. Wie wel bereid is tot het uiterste te gaan, krijgt daar bij Ajax volop de gelegenheid voor.' Ook de wil tot winnen heeft voeding nodig. Training is van groot belang, maar echte ervaring doe je op aan het front. Steeds weer verrasten jonge Ajax-teams veel meer ervaren tegenstanders, steeds weer debuteerden zeventienjarigen in het eerste, terwijl ze daar elders pas vijf jaar later aan toekwamen.

En stamden een paar van de betere coaches niet uit de Ajax-school: naast Cruijff ook Neeskens en Rijkaard, om er een paar te noemen? Johan: 'Zouden jonge coaches als Frank Rijkaard geen goede psycholoog kunnen zijn omdat zij ervaring missen? Een psycholoog heeft misschien een paar goede boeken gelezen, maar hij is nooit in stadion Nou Camp uitgefloten door ruim honderdduizend Catalanen. Zulke zogenaamd onervaren coaches kunnen juist putten uit eigen werk.'

OVER SNORITA'S

Bennie Muller: 'Nee, hij is absoluut niet gierig. Wat-ie wel kan, is wat het joodse woord "snorren" inhoudt. Hij rookte graag een snorita, een bedelsigaretje. Maar dat is onschuldig.'

Willem van Hanegem: 'Die kleine kon alles goed. Zelfs sigaretten bietsen. Of je nou een Caballero of een Player of wat voor merk ook opstak, hij was altijd net in de buurt en dan zei-die: "Hé, da's toevallig. Precies m'n merk." Of hij begon plotseling op al z'n zakken te kloppen. Jasje, broek... zo van bovenaf naar beneden, weet je wel. Nou, dan gáf je 'm er al eentje.'

André Stafleu: 'We zaten urenlang na de training aan een formicatafeltje te praten met een pakje sigaretten, meestal de mijne trouwens, ...'

Winnen moet je leren. Winnen is ook verslavend. Die ervaring en verslaving zijn overdraagbaar. Breng jonge mensen in contact met toppers-van-toen die ze onder hun hoede nemen. 'Zij weten wat druk is, ze weten wat het is om goed te spelen, ze weten wat er na een goede wedstrijd gebeurt.' Ze zullen ongetwijfeld vaak moeten luisteren naar goud-van-oudverhalen, maar ergens springt er op een paar van hen misschien een vonkje over. 'Als je ervoor zorgt dat ze er weer zijn, de idolen van het voetbal, de leiders, dan breekt die nieuwe generatie door. Dan willen jonge mensen weer wat presteren.' Als dat vonkje uitgroeit tot een vuur, dan vorm je het karakter van de winnaars van de toekomst. Rijkaard beantwoordt Johan's compliment: 'In alle opzichten kun je als jonge speler alleen maar beter worden van de aanwezigheid van Cruijff. Kijk, hij brengt zijn ervaringen op jongeren over en dát is lange tijd niet gebeurd in Nederland: gevestigde spelers die hun kennis op jongeren overbrachten.'

Zo rest ons slechts één vraag, die – ik geef het toe – mij nog steeds dwarszit: waarom heeft Nederland in 1974 de finale tegen Duitsland verloren? 'De Keizer' van het Duitse team, Franz Beckenbauer, heeft een passende verklaring: 'Hollanders zijn als voetballer moediger en creatiever, maar ook minder gedisciplineerd. Ze willen de tegenstander laten zien en voelen dat ze beter zijn, maar vergeten dan te scoren en de wedstrijd te beslissen.' Cruijff betrekt het hele vaderland in een mogelijk mentaliteitsverschil: 'Wij, en daar bedoel ik de Nederlanders mee, zijn snel tevreden. In zeker opzicht was het behalen van de finale al een historisch hoogtepunt, een gebeurtenis die uniek was in onze voetbalgeschiedenis. Misschien waren we al tevreden met al die lofuitingen, legden we ons neer bij wat we al hadden bereikt.'

Hebben zij gelijk? Ik heb er mijn vraagtekens bij; het zou te makkelijk zijn om de nederlaag op onze volksaard te schuiven. 't Lijkt

OVER BIJZONDERE MOMENTEN (1)

Wat deed u op de avond van 7 december 1966? Vermoedelijk keek u naar een grijs scherm en genoot. Ajax speelde tegen het grote FC Liverpool. Manager Bill Shankley had het vuur opgestookt: 'Gert Bals is nog niet goed genoeg voor het dertiende van Liverpool.' De wedstrijd werd direct uitgezonden, omdat het stadion met 55.000 mensen was uitverkocht; zo ging dat nog in die tijd. Ze kunnen allemaal maar een helft van het veld zien, want er hangt een potdichte mist. Voorzitter Jaap van Praag meldt: 'Wij overwegen honderden vetpotjes langs de lijn te zetten.' Als een haas sprongen wij in een auto en reden naar mijn ouders. Zij hadden kleurentelevisie en dan zag je tenminste nog wat.

Door Kees de Wolf, Johan Cruijff en Klaas Nuninga staat Ajax binnen de kortste keren met 3-0 voor. Halverwege kan Sjaak Swart het scorebord niet zien en haast zich op een fluitsignaal naar de kleedkamer voor de thee. 'Wat ga je doen?' vraagt een ballenjongen in de tunnel. 'De wedstrijd is nog bezig.' Teruggekomen op het veld krijgt hij meteen een balletje van Johan, passeert vier man en zet voor op Nuninga: 4-0 met de rust. Ajax wint tenslotte met 5-1. Shankley weet waarom: 'De spelers van Ajax konden elkaar beter zien door hun witte shirts.'

22 mei 1976, België-Nederland: 1-2. Cruijff wordt aan de linkerkant van het speelveld op snelheid aangespeeld door Ruud Krol. Bijna bij de achterlijn krijgt hij de bal onder controle met de buitenkant van de rechtervoet. Hij wacht op de opkomende Rob Rensenbrink die echter wordt gedekt door drie Belgische verdedigers. Cruijff besluit vanuit deze 'onmogelijke' hoek zelf op doel te schieten. Met veel effect krult hij de bal met de binnenkant van de voet in de kruising. De jonge Belgische doelman Jean-Marie Pfaff wil na afloop op de foto met Cruijff.

---

op de verhalen die je zo vaak hoort bij overheid en bedrijfsleven als 'we' net niet hebben gescoord. Ik denk dat ieder in de eigen spiegel dient te kijken als hij het op kritieke momenten laat liggen. Zoals Johan stelde: 'we' waren immers veel beter, 'maar dat ene stukje miste nog'.

De grote Engelse voetballer Gary Lineker spreekt na het op penalty's verliezen van de halve finale van het WK 1990 de historische woorden: 'Voetbal is een spel met tweeëntwintig spelers en aan het slot winnen de Duitsers altijd.' Ik voel met hem mee, maar er is geen natuurwet die zegt dat je van Duitsers moet verliezen.

Met tien minuten te spelen en 0-1 achter moet je minstens drie man op het veld hebben die het hoofd recht op de romp hebben. Want, om het voor de variatie met Willie Davis te zeggen: De Wedstrijd wil je geen tweede keer meemaken. Niet als je karakter hebt. En de leider moet zorgen dat hij die makkers aan boord heeft.

'Maar alles heeft een positieve kant. Zo zie ik het tenminste.' Het troostende slotwoord is van Cruijff: 'Als wij in 1974 gewonnen hadden, dan was er misschien nooit zoveel over deze wedstrijd gesproken. Over hoe goed wij wel niet waren en over de perfectie van ons voetbal. Legendes worden ook door nederlagen gevoed.'

't Is leuk bedacht maar ik zie het nog steeds anders. Geef mij dit keer maar Youp van 't Hek: 'Van Duitsers heb je pas gewonnen als ze met de bus de stad uit zijn.'

2

STEL JE HEBT ZESTIEN GOEDE SPELERS, HEB JE DAN OOK EEN GOED TEAM?

Goed, Johan, we hebben het antwoord op de eerste vraag begrepen. We weten nu wat een goede voetballer onderscheidt van een slechte. Techniek, discipline en karakter, op topniveau steeds met het woordje team ervoor geschreven.

De tweede vraag is er een van bijna retorische aard, een inkoppertje om het in voetbaltermen te zeggen. Stel je hebt zestien goede spelers, heb je dan ook een goed team? Het volautomatische antwoord van elke sportman of manager is duidelijk: nee, natuurlijk niet! Dat hoef je niet aan Johan Cruijff te vragen. Wat heb je dan als leider meer nodig? Ik moet eerlijk toegeven dat ik, na de eerdere bespreking van alle individuele kwaliteiten met het sterke teamaccent dat Johan er bij legt, toch aarzelde. Heb je eigenlijk al niet alles gezegd wat er over teams is te zeggen?

Maar stel je voor: je hebt in je eigen organisatie goede spelers – aanstaande toppers – aangetrokken en opgeleid en zij beschikken elk over de gewenste teamkwaliteiten om samen te kunnen functioneren. Wat ontbreekt dan nog om het team succesvol te maken in het veld? Ik legde het voor aan Cruijff en zijn antwoord was verrassend: dienende spelers. Plus: de beste man moet ook de aanvoerder zijn. Gaat u er even rustig voor zitten want waar je ook komt, er valt op dit gebied wat bij te leren.

ONS SOORT VOETBALLERS

Ronald Spelbos spreekt mede namens elftalgenoot Jan Wouters: 'Ons soort voetballers wordt in het algemeen beschouwd als opvulling voor een elftal.' Het prachtige dubbelinterview heeft als kop *Spelbos & Wouters, stille steunpilaren van Oranje*. Het is ontroerend in zijn directheid.

Wouters: 'Jongens als Van Basten, Rijkaard en Gullit trekken de aandacht, omdat ze iets meer meebrengen. Daardoor krijgen zij de publiciteit.' Spelbos: 'Daar heb ik op zich geen moeite mee, als al dat opknappen maar tot resultaat leidt. Als je met slechts één of twee van ons soort spelers bent, is het evenwicht zoek en dan wordt het moeilijk. Dat was vorig seizoen bij ons het geval en daardoor waren we er in belangrijke wedstrijden niet.'

Ons Soort Voetballers is dienend. Het zijn mensen die hard moeten werken zodat de sterren ster kunnen zijn. Dat is moeilijk, want elke speler in een topteam als Ajax is ooit begonnen met de ambitie om te schitteren. Het lot van de 'verliezers' is wreed: in plaats van te oogsten in het volle licht van de schijnwerpers, wordt van hen verwacht dat zij een bijrol spelen.

Johan's teamleiderschap onderscheidt zich van dat van anderen door zijn aandacht voor deze stelselmatig ondergewaardeerde groep spelers. Twee aspecten springen daarbij in het oog. In de eerste plaats, waarborg het evenwicht binnen je team: je moet niet alleen sterren hebben, maar ook waterdragers en mensen die domweg nooit falen. En, daarmee onverbrekelijk verbonden, geldt de tweede vereiste: zorg ervoor dat er sprake is van onderling respect.

Waarborg het evenwicht

Tonnie Bruins Slot legde het deskundig uit voor ons barbaren: 'Zijn lijn van denken begint bij het balbezit. Wil je een overwicht creëren, dan dien je de bal te hebben. Da's nogal simpel.'

Je kunt Johan Cruijff's leiderschap het best begrijpen vanuit de filosofie van de ultieme pingelaar die hij als jeugdvoetballertje was: idealiter heb je altijd de bal. Zijn herinneringen over de concurrentie met medespits Gerrie Splinter laten weinig twijfel:

> 'Wat me is bijgebleven van die onderlinge wedstrijden tussen Splinter en mij is, dat we ooit eens hebben gezorgd voor een 34-0 overwinning in tweemaal twintig minuten tijd. Ik maakte toen zeventien goals, waar ik nog steeds trots op ben, en hij twaalf. Daarom is het misschien ook begrijpelijk, dat ze bij Ajax nooit zo verschrikkelijk kwaad werden om mijn gepingel.'

Johan begreep echter al rond zijn twintigste dat er een eind is aan het individuele balbezit en dat er betere resultaten kunnen worden behaald door samen te werken in teamverband. Daarbij blijft echter het basisprincipe overeind: idealiter heb je altijd de bal, maar nu binnen het team.

In plaats van pingelen heet het nu pressievoetbal en het stelt zeer hoge eisen aan de spelers. Cruijff: 'Pressing berust op het principe dat je de tegenstander probeert in te sluiten en dan ook opgesloten houdt. Dat eist behalve een optimale inzet en concentratie, vooral een feilloos aanvoelen van elkaars bedoelingen. Zeg maar, een geweldige wisselwerking.' Het oude Ajax was daarin zeer bedreven. Sjaak Swart, Mister Ajax zelf, legt het uit: 'Het belangrijkste was dat wij pressie konden spelen. Wij konden een tegenstander helemaal vastzetten. Dat kun je nooit de volle negentig minuten, maar wij konden het wel een uur lang, en dan was het meestal gebeurd met de tegenstander. Dat heeft geen enkele ploeg ons nagedaan.'

Het waren mooie periodes met een omcirkelde tegenpartij die het strafschopgebied niet meer uitkwam en een keeper die in een kwartier al twaalf schoten had zoals Swart het zich herinnerde. Echter, hoe goed je ook bent, ook daaraan komt weer een eind, in het algemeen omdat de voorhoedespelers de bal verliezen. In dat geval is het dus zaak die bal zo snel mogelijk weer in bezit te nemen.

Daar nu komen de **waterdragers** in het spel. Het wielrenwoordje komt van doelman Heinz Stuy, bij zijn aanhang beter bekend als Heinz Kroket omdat hij harde ballen altijd in tweeën pakte: met hete kroketten moet je een beetje jongleren. Stuy vertelt dat Cruijff op een gegeven moment het middenveld Neeskens-Mühren-Haan de 'waterdragers van de voorhoede' noemde. 'Toen stond Arie Haan op en zei: "Wat moet je nou met je waterdragers, wij zijn champagnedragers." Zo was er weer een conflict in de wereld.'

Vermoedelijk maakte hij niet eens een grap, want hij raakte het ruggenmerg van de filosofie van Cruijff. Waterdragers zijn mensen die gaten dichten, loslopende ballen op het middenveld opzuigen, desnoods bereid zijn hun schoenveters af te geven als die van de sterren breken. En die daar nooit over klagen, maar er juist een eer aan ontlenen. Of zoals een van de grootsten op dit gebied, PSV'er Willy van de Kerkhof, het zei: 'Johan heeft mij pas echt gewezen op mijn waarde en kwaliteit als stofzuiger. We hebben er samen veel over gepraat hoe belangrijk zo'n functie is in een elftal. Veel ploegen onderschatten de waarde ervan. Maar Johan zei dat elke grote club zo'n speler moet hebben, omdat het onmogelijk is zonder bindende spelers de top te bereiken.'

Johan legde hem uit dat het allemaal om balbezit ging. Met de kwaliteiten van de Nederlandse voorhoedespelers was het immers bij voldoende balbezit statistisch gezien een bekeken zaak: de vraag was niet of hij er in ging maar hoeveel er in gingen. Als Willy zich dus op het middenveld alle losse ballen toe-eigende en ze aan de voorhoede afgaf, kon het elftal vrijwel niet verliezen.

Van de Kerkhof werd rond 1975 op voorspraak van Johan Cruijff in het Nederlands elftal opgesteld. Niemand kan beter zeggen waar het om gaat dan hij:

> 'Ik wist al op vrij jonge leeftijd wat mijn kwaliteiten als voetballer waren. Als voorhoedespeler had ik gewoon te weinig techniek. Ik moet het meer van mijn harde werken en instelling hebben, me de pleuris lopen om een bal af te pakken.
> Nou, als me dat lukt voel ik me de koning te rijk. Ik ben dan blij dat ik de bal bij iemand kan inleveren die er iets goeds mee doet. En als er ook nog een doelpunt van komt, ja, dan straal ik van geluk. Want dan is het míjn verdienste: ik heb de bal afgenomen.
> Voor een team ben je op deze manier bijzonder waardevol. Daarom ben ik ook zo blij met de titel "stofzuiger". Minderwaardig? Nee hoor, integendeel. Een schoonmaker is toch ook niet minderwaardig?'

Ik denk dat de meeste organisaties, ook buiten de sport, gebouwd zijn rond een middenveld van waterdragers, noem het maar het middenkader. Zij vormen de ruggengraat van hun ploeg. Ze opereren niet in de schijnwerpers of voor het voetlicht, maar werken achter de schermen. Ze komen 's ochtends een tikje eerder om de winkel te openen en gaan 's avonds wat later weg om weer af te sluiten. Ze weten alles, zien alles, maar worden zelf zelden gezien.

In het bedrijfsleven of bij de overheid gelden in een steeds sneller veranderende en mondialere werkomgeving de basisprincipes van pressievoetbal. Mensen die als collectief een tegenstander vastzetten door elk gaatje te vullen, elke losse bal op te eisen. Of die als collectief een klant bedienen, reagerend op elk signaal en elkaar ondersteunend waar mogelijk.

De beste autoverkoper van Amerika was indertijd Joe Girard. Joe en zijn mensen deden gewoon meer dan hun concurrenten. Hij onthield bijvoorbeeld de verjaardag van zijn klanten en stuurde hun een kaartje. Die klanten kwamen bij hem terug. Service noemen we dat en het middenkader bepaalt het succes van de sterren: de ontwerpers bijvoorbeeld en de bazen.

Bent u ook wel eens vier keer doorverbonden als u een gemeentehuis belde? Waarvan twee keer door een nauwelijks geïnteresseerd iemand? Als u eindelijk – per ongeluk – aanspoelde op het goede toestel, had u al gegeten en gedronken. Lang leve de overheid, juichte u uw liefhebbenden toe.

De waterdragers zijn naamloze helden. Als je hen scherp op de bal kunt houden, te allen tijde alert, dan win je de pot. Gewoon omdat je meer balbezit hebt. Het is dus aan de leider om de troepen gemotiveerd te houden en dat is verre van vanzelfsprekend, want de mogelijkheden voor externe erkenning zijn in het middenkader beperkt. Het moet vooral komen van de interne erkenning en daar moet je als leider aan werken. Het klinkt immers – u zult het met me eens zijn – toch anders dan de veelvuldig gebruikte beeldspraak in het bedrijfsleven over 'de ondoordringbare leemlaag' van het middenkader, waarin alles vastloopt. Maar dat wel de verbinding moet vormen tussen de top en de frontlijn.

Van de Kerkhof doet een handreiking voor hoe het idealiter wel kan: 'Als door mijn voorbereidend werk op het middenveld wordt gescoord, heeft dat voor mij dezelfde gevoelswaarde als een doelpunt maken. Dat is mijn bekroning. En de grootste waardering voor mijn werk heb ik altijd van collega's gehad. Dat is het mooiste wat je hebben kan.' 'De stofzuiger' won met Cruijff tegen de Belgen uit in mei 1976 met 0-2 door doelpunten van Johnny Rep en Johan zelf. Het was in zijn herinnering de beste wedstrijd die zij samen speelden: 'In die wedstrijd hebben we optimaal gebruik gemaakt van elkaars kwaliteiten. De afspraak was dat Johan zijn man zou laten lopen en ik die op zou vangen. In die wedstrijd liep dat als een trein. De twee doelpunten kwamen ook uit assists van mij. Beter kun je het niet hebben.'

Cruijff hanteert echter nog een tweede uitgangspunt voor een evenwichtige teamsamenstelling: 'Als je een goed team wilt hebben, moeten er altijd twee man in de as staan, die nooit falen.' Ik heb ze voor mezelf maar benoemd als de **achtervangers**, een woord dat ik van het honkbal heb geleend omdat het goed beschrijft om welke functie het gaat.

In eerste instantie lijkt het een open deur te zijn. Idealiter moeten er elf man zijn, die geen fouten maken; daar hadden we het al over. Of in ieder geval minder fouten maken dan de tegenstander. Is dit nu iets wezenlijk anders? Johan legt uit: 'Kijk, als het goed is, heb je in je elftal een paar man, meestal voorin, die geniale dingen kunnen doen. Die dingen zijn geniaal, omdat andere mensen ze niet kunnen en er zelfs niet aan denken. Maar ze nemen daarbij onvermijdelijk risico's. Voor die geniale spelers zijn die geniale dingen vaak ook nieuw. En dus gaat er vaak iets mis.' Hij verwijst naar de toppers, die het voetbal zo mooi maken: 'Bij Marco van Basten weet je nooit wat hij doet, hij gaat links als je rechts verwacht en binnendoor als iedereen denkt dat je alleen buitenom kunt. Daar houd ik van.'

Maar er is een keerzijde: 'Dat soort risico's kan je alleen maar lopen, als daarachter mensen staan – twee man in de as – die nooit falen. Van Basten kan een acht halen, omdat hij weet dat zijn risico op een twee wordt beperkt door de mensen achter hem in de as.'

Het punt is simpel. Sterren kunnen alleen maar ster zijn, omdat ze kunnen terugvallen op een aantal stabiele mensen. Eén op de drie keer succes zou bijvoorbeeld bij elke innovatie of riskante investering in het bedrijfsleven een fantastisch resultaat zijn. Dat betekent dat twee van de drie keren de inspanning eindigt in een flop. Als niet een groot deel van die flops wordt afgedempt door een aantal achtervangers, wordt de schade te groot. Die achtervangers mogen nooit falen.

Eerder vergeleek ik de waterdragers met het middenkader van grote ondernemingen: hard en naamloos werken op het middenveld, terwijl de hogere echelons de blits maken. Bij de achtervangers dringt zich de vergelijking op met de zogenoemde *backoffice*, die – ver verwijderd van de frontlijn waar wordt gescoord in het contact met de klanten – geen fouten mag maken. De 'klerken' op de administraties, die de rekeningen versturen en de betalingen bijhouden. De mensen in de fabrieken en magazijnen, die de problemen moeten klaren waarvoor ambitieuze verkopers hen stellen met verregaande toezeggingen. De onderhoudsmonteurs, die op een onmogelijke tijd een lek dichten of een machine weer aan de praat krijgen. De lijst is lang.

De goede achtervanger kent vanzelfsprekend veel routineklussen, maar moet bovendien altijd klaar staan om te corrigeren wat er fout gaat aan de frontlijn. Spelbos daarover: 'Als we in de aanval zijn, begint onze verdedigende taak....Weten jullie wat de meeste concentratie vraagt? Als wij in balbezit zijn.' Zoals Johan Cruijff zegt: 'Als je voorin een fout maakt, wordt die achterin duur betaald. Dat blijft een waarheid.'

In een tv-analyse tijdens het Europees Kampioenschap 2000 illustreerde hij zijn punt: 'Je zag het aan die penalty tegen Denemarken. Dat was er een goed voorbeeld van. Iedereen gaf Konterman de schuld, maar ik wou toch nog wel effe zeggen dat het niet de schuld van Konterman was, maar van Kluivert. Die verspeelde voorin nonchalant de bal, waardoor die gasten pijlsnel de aanval overnamen en Konterman achterin de rekening kreeg van de schuld van Kluivert. De spits is je eerste verdediger.'

Achtervangers zijn vaklui. Zij kennen hun vak, weten wat goed en fout is en houden zichzelf en anderen scherp. Hun rol gaat daarom verder dan alleen de wedstrijd. Cruijff legt uit: 'Mijn taak als coach bij Ajax was het bijbrengen van een professionele benadering. Ik heb ze als het ware van junior tot prof gevormd. Bij dat proces heb ik veel aan Wouters gehad. Wouters, Spelbos en Ophof, om er een paar te noemen, hielpen om al die talenten prof te laten worden.' Een voorbeeld: 'Ik kon Van Basten tegen Spelbos laten spelen, daar had ik wat aan. Reken maar dat Van Basten tot de bodem moest gaan op de training, wilde hij tegen Spelbos één kans krijgen. Het is een mentaliteitskwestie: leren om professioneel te voetballen, het afstraffen van de zwakke momenten van de tegenstander. De mentaliteit is het probleem bij een goede voetballer. Technisch mindere voetballers hebben per definitie een goede mentaliteit, anders komen ze er niet.'

Ronald Spelbos, niet een man van veel woorden, verzorgt de samenvatting: 'Spelers als wij moeten in een elftal de organisatie en de discipline handhaven. Dat is onze taak.'

Zorg voor onderling respect

In het bedrijfsleven en steeds meer ook bij de overheid wordt het belang onderkend van het aantrekken en vasthouden van toptalent.

Met alle nadruk op The War for Talent wordt 'het tweede garnituur' te vaak overgeslagen. En dat, zo heeft het topvoetbal geleerd, kun je beter niet doen.

Wat kun je als leider met deze wijsheid doen? Binnen het recept van Johan Cruijff is een aantal stappen te onderscheiden. In de eerste plaats gaat het erom je te verplaatsen in de schoenen van Ons Soort Voetballers. Hoe kun je ze motiveren tot het uitvoeren van hun – door de ogen van de buitenwacht bezien – ondankbare rol? Om die vraag te beantwoorden moet je Ons Soort Voetballers **begrijpen**. De eerder aangehaalde woorden van Spelbos en Wouters geven aan wat alle waterdragers en achtervangers van deze maatschappij voelen: de eigen beperking en de trots op de eigen rol en inbreng. Zij aanvaarden het niet-ster zijn. Spelbos: 'Tegen Haarlem maakte ik een mooi doelpunt. Dat moet je vaker doen, zei men tegen mij. Maar waarom? Dat is mijn taak helemaal niet. Ik moet in de eerste plaats de spits van de tegenstanders uitschakelen. Daarvoor word ik opgesteld, niet om die bal erin te koppen. Dat geldt voor Jan ook.' Jan Wouters lachend: 'Zo af en toe raak ik een bal verkeerd, en dan vliegt-ie er wel eens in.'

Hetzelfde geluid is te horen bij middenvelders als Dick Schoenaker en de broers Gerrie en Arnold Mühren bij Ajax en André Stafleu bij Feyenoord. Gerrie bijvoorbeeld: 'We speelden allemaal in dienst van Johan en Pietje. Ik kon dat goed, want ik had een groot loopvermogen en een ijzersterke conditie. En ik was bescheiden.' Of Stafleu over zijn samenwerking met Cruijff: 'Wij vormden een soort twee-eenheid, alleen zag je dat nooit in de wedstrijden, omdat ik zo onopvallend speelde.' De meeste dienende spelers zijn begonnen met dezelfde ambitie als de toppers, ik zei het al eerder. Ze wilden de gevierde ster zijn, schitteren in het Nederlands elftal; hun foto in de krant. Ze hebben op tijd ingezien dat hun capaciteiten niet toereikend waren.

Dat is niet voor alle spelers even eenvoudig. Arnold Mühren keerde in 1985 als 34-jarige veteraan, met topervaring in Volendam, Ajax, FC Twente, Ipswich Town en Manchester United, samen met coach Cruijff terug bij Ajax. Zijn beschrijving vanuit het perspectief van de selectie laat geen twijfel. 'Een belangrijk punt was ook, dat diverse spelers van het idee af moesten, dat ze vooral zelf moesten uitblinken.' Zoals? 'Johnny van 't Schip en Gerald pasten niet bij elkaar. Je kan niet twee dribbelaars achter elkaar hebben, die de posities niet van elkaar overnemen. Het verband is dan zoek. Gerald had toen ook nog in z'n hoofd dat hij de spelbepaler wilde zijn, maar voor die positie moet je ook verdedigend kunnen denken. Dat had Gerald te weinig en Johnny, die ook graag op het middenveld wilde spelen, had het helemaal niet. Ze hadden allebei geen trek in de rechtsbuitenplaats en vonden dat ze op het middenveld beter tot hun recht kwamen.'

Aan de andere kant moet je Ons Soort Voetballers durven oprekken. Cruijff: 'Je moet spelers niet beperken tot één enkele taak maar ze de kans geven om uit te vinden dat ze meer kunnen dan ze zelf denken.' Voor sommigen is dat nauwelijks nodig; supertechnicus Gerrie Mühren bijvoorbeeld: 'Cruijff en Keizer wisten dat ik meer kon dan hard werken. Als de bal in de ploeg moest blijven, speelden ze 'm naar mij. Dan was er rust gegarandeerd.'

Bij de Stille Steunpilaren van Oranje lag dat anders. De technisch directeur: 'Van Spelbos hoopten we altijd dat hij de bal zo snel mogelijk zou afgeven. Maar we hebben nu ontdekt dat hij ook heel waardevol is omdat hij een perfecte pass over vijftig meter kan geven. Zo perfect dat de tegenstander geen tijd heeft om de verdediging zo snel aan te passen. Dat is een kwaliteit waarvan niemand wist dat hij die had. ... Een ander voorbeeld is Jan Wouters. Hij zou een zwoeger zijn. Natuurlijk is dat één van zijn capaciteiten. Maar hij kan voetballen ook. Hij beschikt bijvoorbeeld over een verwoestend schot. Als er bij bepaalde situaties in het veld voetbalkwaliteiten van hem worden geëist, beschikt hij daar ook over.'

Het recept-Cruijff benadrukt, naast respect voor individuele behoeften, bijna vanzelfsprekend het teamaspect. Het team gaat altijd voor, niemand is belangrijker dan het geheel en wie dat niet begrijpt, past niet in het team. Je moet als leider daarom **durven kiezen**. De sterren kunnen een wedstrijd voor je winnen, maar Ons Soort Voetballers zorgt dat je niet verliest en dat de sterren kunnen scoren.

Coach Cruijff heeft het me ooit uitgelegd, kort na een nipte overwinning van Ajax op DS'79 in het vroege seizoen '87-'88. Het elftal kreeg in de maandagochtend-Telegraaf slechte rapportcijfers: Menzo 6; Blind 5; Spelbos 6; Wouters 7; Silooy 5; Mühren 6; Rijkaard 5; Witschge 4; Van 't Schip 5; Stapleton 5; Bosman 4. Cruijff over Wouters en Spelbos:

> 'Ze zorgen voor het evenwicht, ze hebben evenwichtige karakters. Ze vliegen niet zo hoog als de maan en ze vallen niet te pletter. Ze worden niet gek als 't goed gaat en ze raken niet in paniek als 't fout loopt. Op die manier zorgen ze dat iedereen op het team zijn werk kan doen en dat je geen "slechte" spelers hebt.
> Als iedereen zijn werk doet, haal je als team altijd op z'n minst een zes, zelfs als een paar spelers misschien een technisch gesproken slechte dag heeft. Op die manier verlies je nooit. Neem nooit een speler die vandaag een acht scoort en morgen een twee. In de eerste plaats krijg je dan op de bank een hartaanval omdat je nooit weet wat hij nu weer gaat doen. Maar maak je geen zorgen, ik stel hem niet op, ik houd er gewoon niet van. Wat ik wil hebben, is een iemand die elke dag een zes haalt. Je doet je werk en je krijgt een zes. En vandaaruit kan je misschien opklimmen naar een acht of een tien. Zolang je maar de basis hebt van elke dag een zes om mee te beginnen.'

Is het belangrijk dat de karakters in het team bij elkaar passen? 'Ja, hoewel er verschillen moeten zijn. In mijn team wordt de discipline bewaakt door wat oudere spelers met een goede mentaliteit die niet proberen de show te stelen. Je hebt dat op verschillende momenten nodig.' Het is een terugkerend dilemma, ook in het bedrijfsleven. Je weet dat je het evenwicht moet bewaken en tegelijk wil je creatievelingen die ondernemen. Rasaanvaller Cruijff: 'Aan de andere kant moet het spelen in de voorhoede een heel blije manier van spelen zijn, het moet vindingrijk zijn. Maar als je teveel van dat soort spelers hebt zoals wij in mijn eerste jaar als technisch directeur bij Ajax hadden: we speelden fantastisch voetbal maar wonnen nooit.'

Niet elke speler 'past', het is een van de moeilijkste lessen van het leiderschap. 'Dat is de reden dat ik dat eerste jaar een paar "goede" spelers verkocht en een paar "slechte" spelers aankocht. Toen hadden we een goed evenwicht.' Soms moet de leider moeilijke beslissingen durven nemen. Jan Wouters – 'Ik was in die tijd een goede voetballer, maar sprong er niet echt bovenuit in de eredivisie' – werd bijvoorbeeld door Cruijff van FC Utrecht naar Ajax gehaald, terwijl tegelijk de potentiële superster Gerald Vanenburg weg mocht naar PSV. Wouters daarover: 'Hij ging er van uit dat een goed elftal niet uit elf artiesten hoort te bestaan, maar dat er ook andere kwaliteiten een rol spelen. Dat iedereen kritiek had op die transfer was niet leuk voor me, maar ergens had ik er wel begrip voor. Vanenburg laten lopen en Wouters halen, daarvan snapt de doorsnee tribuneklant niet veel. Om dat te snappen moet je Johan Cruijff heten.'

De omgeving snapt er inderdaad vaak niets van en is bovendien uitermate kritisch. Voorzitter Ton Harmsen herinnert zich bijvoorbeeld: 'Na de Wouters-transfer kwamen mensen naar me toe die zeiden: "Hier heb je mijn seizoenkaart. Ik kom voor voetballers als Vanenburg. Niet voor een speler als Wouters."' En toch moet je durven kiezen.

Het onderkennen van de waarde van Ons Soort Voetballers en het waarborgen van een goed evenwicht in het elftal is natuurlijk pas het begin. Daarna begint in het recept-Cruijff 'het **befaamde leerproces**', zoals Arnold Mühren het noemt. Hij geeft er een kleurrijk verslag van, dat tot de verplichte oefenstof voor aspirant-leiders behoort.

We verplaatsen ons naar 1985 toen – met Johan terug op het nest als technisch directeur – de Ajax-selectie zich maar heel langzaam ontwikkelde. Mühren constateert na afloop: 'Van het jaar van het leerproces is me vooral het enorme aantal fouten bijgebleven. Omdat de spelers niet gewend waren zo te spelen.' Als gevierde voetballers hadden ze er ook flink de pest aan om als het ware weer in de schoolbanken te moeten plaatsnemen. 'Er ontstond veel irritatie binnen de selectie. Veel jongens vonden dat Johan teveel ouwehoerde. Maar hij zei altijd: "Jongens, alles wat ik zeg, daar zit een idee achter. Ik zwam niet uit m'n nek."' Gelukkig vond hij steun bij zijn oudere broer Gerrie, die een voetbalgeneratie eerder met Michels precies hetzelfde had meegemaakt: 'Die zei, dat het toen niet anders ging. Tot vervelens toe moesten ze steeds dezelfde oefeningen herhalen, maar op het laatst werd het wel een automatisme. Dat was onder Johan precies hetzelfde. Er werd ontzettend veel aan positiespel gedaan.'

Veel spelers mopperden. 'Voor sommige jongens ging het allemaal te snel. Vooral de jongens die individualistisch waren ingesteld, hadden bijvoorbeeld moeite met het één keer raken. Het moeilijke daarvan is, dat je voor je in balbezit bent gekomen, al moet weten waar de bal naar toe gaat. Als je dat goed beheerst, dan is het positiespel niet moeilijk.' Arnold zag het zelf helemaal zitten, maar leefde mee met de mensen om zich heen: 'Robbie de Wit had het erg moeilijk, maar daar kon die jongen niets aan doen, het was hem nooit geleerd. Hij was altijd alleen maar bezig geweest met het passeren van die drie man en niemand die ooit tegen hem gezegd had, dat hij ook een keer achterom moest kijken.' Met enige pijn herinnert hij zich hoe tijdens de training Johan het spel een keer stillegde en wilde uitleggen wat er weer fout was gegaan. Zei Robbie: 'Trainer, laat mij maar naar binnen gaan, ik begrijp het toch niet.'

Maar ook bij anderen ging het niet van een leien dakje. Achter de woorden van een andere individualist, John van 't Schip, schuilt ongetwijfeld een proces van diepdoorvoelde loutering, om het maar eens mooi uit te drukken: 'Ik heb geleerd dat je niet voor jezelf moet spelen, maar voor het elftal.'

Als onderdeel van dat leerproces moeten ook de spelers gaan beseffen dat ze van elkaar afhankelijk zijn. In de eerste plaats is het zaak de dienende spelers te doordringen van het belang van hun rol binnen het team. Johan: 'We leggen uit dat iemand zonder techniek maar met veel karakter en discipline tot een zeker niveau kan stijgen. Dat zijn niet de spectaculaire spelers, dat zijn de werkers. Die werkers weten dat ze een honderd procent job moeten doen.' Zij moeten bovendien begrijpen dat zij, met hun beperkingen, afhankelijk zijn van het slagen van de sterren. In de natuur zou je spreken van een symbiose: kleine visjes maken de tanden schoon van de haai, vogeltjes reinigen de huid van de olifant. Maar de haai en de olifant zijn binnen de samenwerking wel bepalend voor de gezamenlijke koers.

Dat is, zeker in een zeer succesvol team, moeilijk. Alle spelers gaan dan denken dat ze over water kunnen lopen. Het wat bittere eerste vertrek van Cruijff van Ajax naar FC Barcelona is daarvoor illustratief. Het team had toen een bijzonder succesvolle periode achter de rug met, als ik het goed heb geteld, een Wereldbeker, drie Europacups, zes landskampioenschappen en vier nationale bekers in een kleine negen jaar.

Een aantal spelers dacht het zonder Johan ook te redden. Arnold Mühren: 'Daar was Arie Haan er een van en die ging zelfs zo ver, dat hij dat ook in de krant ging roepen.' Zij kwamen in opstand tegen het leiderschap van Cruijff en stemden hem uiteindelijk weg als aanvoerder. Wim Suurbier vond dat kortzichtig: 'Arie vond dat hij ook kwaliteiten had – en dat was zo. Trouwens, Arie was niet de enige hoor die dacht dat het zonder Cruijff ook wel zou gaan. Verkeerd gedacht. Een paar wedstrijden zonder Johan Cruijff kun je winnen, maar een heel seizoen of een paar jaar ligt even anders.'

Het is echter vooral zaak dat de toppers doordrongen zijn van hun afhankelijkheid van Ons Soort Voetballers. Johan: 'De anderen, de goede spelers, vergeten vaak hun job te doen. Wat je nodig hebt is een combinatie van de twee. En de beste speler zit altijd in het winnende team, nooit in het tweede. Niet omdat hij de beste speler is maar omdat het het beste team is.'

Wie het te hoog in de bol krijgt, moet worden gecorrigeerd. Dat kon fors hard gaan. Superindividualist Tscheu-la Ling bijvoorbeeld merkte dat hij bijna gewisseld was en sprak Cruijff er een dag later op aan: je wilde me een kunstje flikken. Het antwoord is verbluffend: 'Ik heb hem toen heel eerlijk gezegd: ik wilde je geen kunstje flikken, maar als je blijft spelen zoals je speelt, een beetje parasiteren op Schoenaker die zich achter je de pleuris loopt en jij dan een beetje mooi weer spelen met drie acties, dan flik ik je een keer een kunstje.' Dan volgt een rechttoerechtaan confrontatie: 'Kijk, zei ik hem, ik was hier god en jij wilt het worden. Je hebt nog niet de helft van wat ik had, sterker nog, die drie acties per wedstrijd van jou, een mannetje uitspelen, nou dat kan ik ook nog wel en misschien nog wel beter. Maar als jij hier god wilt worden, dan moet je er iets voor doen.'

OVER VASTE GEWOONTEN EN BIJGELOVEN

In een interview in 1972 verklaart een jeugdige Cruijff: 'Ik maak nooit mijn voetbalschoenen schoon en Tonny Pronk is de enige die ze mag aanraken. Voor de wedstrijd verloopt alles bij mij volgens een vast ritueel. Vijftien minuten voor tijd aankleden, drie minuten voor tijd masseren en dan wachten tot iedereen de kamer uit is. Eerder ga ik niet naar buiten. Ik steek ook altijd een stukje kauwgum in mijn mond. Wanneer er wordt afgetrapt, schop ik dat een paar meter weg.'

In 1967 ging het bij de Europacupfinale tegen AC Milan mis. De essentie van het weggeschopte kauwgum was namelijk dat het zou landen op de helft van de tegenpartij. Niet alleen kwam het daar niet terecht; Cruijff was het zelfs helemaal vergeten in zijn mond te steken. Desgevraagd zei hij: 'In de wedstrijd denk je daar af en toe wel aan!' Ajax verloor met 4-1.

Mühren droeg bij Ajax rugnummer 7 totdat Cruijff in 1970 geblesseerd raakte. Mühren kreeg toen zijn nummer 9 en wilde dat aan Cruijff teruggeven toen die op 30 oktober tegen PSV zijn rentree maakte. Maar het shirt met nummer 7 was zoek. Mühren: 'Johan zei: "Hou jij 9 maar, dan neem ik 14." Vond hij geloof ik wel een mooi nummer.' Cruijff speelde ijzersterk en Mühren maakte het enige doelpunt van de wedstrijd. 'Toen hebben we het maar zo gelaten. Bijgeloof.'

Niet parasiteren op Ons Soort Voetballers, de spelregels waren simpel. 'Er werd niemand voorgetrokken, helemaal niet de jongens met kwaliteiten,' herinnert Arnold Mühren zich. 'Vooral de echte talenten, die bij Ajax fluitend naar de top waren gekomen, hadden het nodig. Marco van Basten en Frank Rijkaard pakte hij al extra hard aan, omdat die meer kwaliteiten hadden dan de rest. Die moesten volgens Johan meer laten zien.'

Cruijff was daarin rechtlijnig zoals ook Van Basten heeft ervaren. Hij herinnert zich een beroemde aanvaring: 'Ik heb toen in een interview met de *Haagse Post* gezegd: "Cruijff lult je suf, hij weet alles beter", dat had ik ook gezegd. Het beroerde is dat hij het vaak ook inderdaad beter weet! Het ligt er alleen maar aan hoe je zoiets opschrijft, het werd in dat interview een beetje uit z'n verband getrokken.' De reactie van de coach kwam onmiddellijk. 'Toen heeft Johan me er dus tegen Veendam uitgehaald, maar dat was wel terecht, want ik speelde in die periode ook minder. Toen vroegen de journalisten na afloop aan Johan waarom hij mij eruit had gehaald. Toen antwoordde Johan dat hij daar beter niet over kon uitweiden, "anders weet ik zogenaamd weer alles beter," zei hij... Gaf hij me dus eigenlijk wel een veeg uit de pan.'

Sterren hebben een hard leven, zeker als de waardering voor Ons Soort Voetballers ook nog eens doorschiet. Van Basten herinnert zich bijvoorbeeld hoe hij als 'verwende ster'zich er in die fase niet over mocht beklagen dat hij aan de lopende band onderuit werd geschoffeld: 'Er heerste toen zo'n mentaliteit in Nederland dat die schoppers, die "werkers" ook maar eens gewaardeerd moesten worden. Dus spelers als ik hadden de tijd tegen.' Het trefwoord is ook nu weer evenwicht. Aan de andere kant kon hij immers lachen om zijn eigen speelsheid: 'Dan is het bijvoorbeeld 3-0 met een zonnetje erbij en het is nog achttien minuten, en de wedstrijd is in feite al gespeeld, ja dán denk ik wel eens: laat ik 's iets leuks doen.'

Zolang Ons Soort Voetballers hem dat niet kunnen nazeggen, verdient het aanbeveling hen in een speciaal zonnetje te zetten. Vakmanschap is meesterschap en weinig teams kunnen zonder.

Weer zo'n citaat: 'Ik vind Milanello, dat trainingscentrum anderhalf uur van Milaan, prachtig, maar ik zou er niet willen trainen. AC Milan speelt altijd een uitwedstrijd. Voetballers willen elke dag in de kleedkamer zitten waar ze bij een thuiswedstrijd ook zitten, dat maakt een thuiswedstrijd tot iets speciaals. Voetballers willen hun shirtje door de week op dezelfde plek zien hangen als op zondag bij de thuiswedstrijd.'

Als je het even kan voorkomen, moet je nooit een uitwedstrijd spelen. Wanneer de gelijke spelen buiten beschouwing worden gelaten (ongeveer een kwart van de wedstrijden), wint de thuisclub gemiddeld twee van de drie wedstrijden. Organiseer moeilijke vergaderingen dus altijd op eigen kantoor of – desnoods – op neutraal terrein.

Jaren heb ik beweerd dat bij het voetbal een goede psycholoog meer waard is dan een topspits. De denkbare redenen voor het relatief vaak verliezen van uitwedstrijden zijn zonder uitzondering psychologisch van aard. Een beetje psycholoog moet daar toch wat aan kunnen doen, veronderstelde ik. Misschien heb ik echter onderschat dat voetballers psycholoogbestendig of zelfs -resistent zijn. De herinneringen zijn een blijvende bron van hilariteit onder de oud-spelers van Ajax.

Cruijff was zelf het 'slachtoffer' geweest van psychologen die binnen het Ajax van de vroege jaren zeventig de onderlinge irritaties moesten wegnemen. Klaas Nuninga: 'Sjaak en Johan kankerden in die tijd nogal op elkaar, meen ik. Amsterdammers reageren vaak primair, hè. De oplossing lag dan in een rollenspel in de kleedkamer. Sjakie moest zich inleven in Johan, en andersom. Lachen natuurlijk.'

Ook Ton Pronk had jaren later nog steeds pret: 'Als Cruijff en Keizer met elkaar in de clinch lagen, dan gooide Grünwald een prop papier in de kleedkamer. Moest de één zich voorstellen dat die prop papier de ander was. Daar moesten ze dan tegenaan stampen en schoppen.'

Oud-voetballer/fysiotherapeut Pim van Dord herinnerde zich echter de stottertherapeut die via technisch directeur Cruijff in de jaren tachtig binnensloop. 'Concentratieoefeningen zullen best nuttig zijn. Van zo'n half-Amerikaanse act als

van Len del Ferro kregen we buikpijn van het lachen: we kropen over de grond van het lachen.'

Misschien moet ik toch maar mijn mening herzien en gaan voor die topspits. Maar dat van het niet-spelen van uitwedstrijden blijft overeind.

Ons Soort Voetballers: als coaches en spelers hun toegevoegde waarde begrijpen en slagen daaraan inhoud te geven binnen een evenwichtig team, kunnen er mooie dingen gebeuren. De essentie werd samengevat door Willy van de Kerkhof: 'Johan was een echte leider, niet alleen in het veld, maar ook erbuiten. Johan wist precies wat mijn capaciteiten waren en stelde veel vertrouwen in mij.'

DE BESTE MAN MOET OOK DE AANVOERDER ZIJN

'De beste man moet ook aanvoerder zijn.' Toen Johan Cruijff het mij vertelde, flitsten de directies en kabinetten mij door het hoofd, waarvan ik dacht: tja?? Johan liet echter geen rust en legde uit: 'Bij 4-0 vóór en tien minuten te spelen heb je geen aanvoerder nodig. Maar bij 0-1 achter ligt dat anders. Een aantal spelers raakt dan de kluts kwijt en wil alleen maar de bal inleveren bij de beste man: red ons! En de aanvoerder moet dan juist de bal opeisen, omdat er nu iemand leiding moet gaan geven op het veld. De spelers raken daardoor in nog grotere verwarring en dat mag niet. Dus daarom moet de beste man ook de aanvoerder zijn. Het is eigenlijk heel simpel. Ik snap niet dat ze dat niet zien.'

Hij heeft natuurlijk ook deze keer weer gelijk, maar ik moet bekennen dat het me dik tien jaar heeft gekost om dat te kunnen erkennen. Er is waar het voetbal betreft geen speld tussen te krijgen en in het Amerikaanse topbasketbal kreeg superster Michael Jordan bij gelijke stand ook altijd het laatste schot. Maar geldt het nu ook in bedrijfsleven en politiek? Is het echt wel nodig of kun je dit ook anders regelen?

In een echte hiërarchie lijkt mij geen noodzaak te bestaan voor dit soort wetmatigheden bij de invulling van topplaatsen. Alles is immers duidelijk; ongeacht de stand en het moment is het leiderschap belegd in de persoon van de bovenste baas. Ook in een klein team lijkt mij de noodzaak beperkt aanwezig. Het gezelschap is zo klein en de lijnen zijn zo kort, dat de leiderschapsvraag zichzelf wel oplost door de eenvoud van het overleg. Hoewel... in eerlijkheid hebben we allemaal ervaring met de pijnlijke situaties waarin dat niet het geval was en het 'team' onder druk als los zand uit elkaar viel.

Toch ontstaan de voornaamste problemen als het team, zoals vaak in het bedrijfsleven en bij de overheid, vrij groot is en bovendien decentraal wordt aangestuurd. Je praat dan over netwerkmanagement en dat is een vak dat slechts weinig mensen beheersen. In feite mogen we ons gelukkig prijzen dat we maatschappelijk niet veel wedstrijden hoeven te spelen waarin we onder extreme druk komen te staan.

Een kabinet telt bijvoorbeeld tussen de veertien en zestien ministers, die allen eindverantwoordelijkheid dragen voor hun pakket. De minister-president fungeert als primus inter pares, de eerste onder zijn gelijken. Er is een soort bestuurscultuur ontstaan, waarbij dat redelijk praktisch functioneert. Maar wat zou er gebeuren als je als kabinet met 0-1 achter staat en er zijn nog maar een paar minuten te spelen? Is dan de besluitvorming voldoende krachtdadig, lopen er geen collega's met hun departementen weg voor verantwoordelijkheden? Wat ik vanuit VROM ten tijde van de kernramp in Tsjernobyl zag gebeuren in het buitenland en – gelukkig in mindere mate – in eigen land, is weinig hoopgevend.

Het bijzondere aan Cruijff is dat hij zijn hele benadering ontwerpt vanuit de filosofie dat de organisatie schokbestendig moet zijn wanneer het er echt op aankomt. Onder die omstandigheden moet het formele en het natuurlijke leiderschap in een enkele persoon verenigd zijn.

Kijk ter illustratie naar de recente ervaring rond het optreden van de 'samenwerkende' overheidsinstanties bij de vuurwerkramp in Enschede en de cafébrand in Volendam. Het woordje gedogen valt te vaak, er is sprake van onduidelijke bevoegdheden en verantwoordelijkheden. Worden ministers en burgemeesters ook wel geselecteerd op hun crisisbestendigheid? Wat gebeurt er indien we overgaan op de gekozen burgemeester? Hoe is het met de directievoorzitters in het bedrijfsleven die bijvoorbeeld geconfronteerd worden met een vijandige overname, een explosie of een lek in de fabrieken of ernstige productproblemen? De opstelling van een multinational als Exxon ten tijde van het ongeluk met de Exxon Valdez in Alaska is slechts één uit een droeve serie illustraties van falend leiderschap.

Maar kijk ook eens naar wat normalere omstandigheden, bijvoorbeeld wanneer een onderneming een nieuw product lanceert. De hele organisatie staat dan onder zware druk: alles is nieuw, de tijd is beperkt en er mag niets fout gaan. En bovendien wordt juist dan de samenwerking tussen wezensvreemde eenheden zoals research, productie en marketing zeer op de proef gesteld. Vooral door een gebrek aan coördinatie – zeg maar: leiding – zijn de resultaten vaak bedroevend.

Toch ben ik pas in de jaren negentig de bocht omgegaan over dat aanvoerderschap onder normale omstandigheden. Met miljoenen mensen die in alle markten steeds hogere en grilligere eisen stelden, met een verspreiding van activiteiten naar alle delen van de wereld, en met een voortdurende vernieuwing van het producten- en dienstenaanbod was het gedaan met de rust in onze grote ondernemingen. De sleutel voor succes werd flexibiliteit; hockeystickmanagement, zoals ik het eerder noemde. Je ging ervan uit dat je altijd fout zat, maar dat je door supersnel te corrigeren nooit omviel. Waarbij de ogen altijd alle signalen moesten oppakken en de handen moesten reageren zonder tussenkomst van het hoofdkantoor.

Toen viel wat mij betreft het kwartje. Het hoofdkantoor – in het Ajax van de vroege jaren zeventig Rinus Michels – tekende de grote lijnen. Maar de invulling werd bepaald door de spelers op het veld. Die spelers zijn in feite allemaal kleine zelfstandigen die zich echter voegen in het grotere geheel omdat ze denken daarvan beter te worden. Als je ze als leider te strak zou binden – jij doet dit en jij doet dat – verlies je een groot deel van hun mogelijke toegevoegde waarde. Ze moeten binnen de discipline van de overeengekomen kaders willen ondernemen. Dat durf je als kleine zelfstandige niet zomaar, zeker niet onder uiterst wisselende omstandigheden en omgeven door grote risico's. Je zoekt dus zekerheid en het is binnen het netwerk van een team de aanvoerder die dat kan waarborgen.

De aanvoerder moet daarom uitblinken – de beste man zijn – op twee terreinen. Hij moet in de eerste plaats over de persoonlijkheid beschikken die maakt dat anderen hem, wanneer het echt spannend wordt, willen volgen. En ten tweede is hij verantwoordelijk voor de communicatielijnen met de spelers. Hij moet als een spin in het web zijn medespelers inspireren om zijn ideeën in te kleuren op het veld, maar ook zorgdragen voor de terugkoppeling vanuit het veld.

Kies voor persoonlijkheid

'Eén ding is duidelijk: het is vanzelfsprekend dat als degene die de leiding heeft zwak is, de rest nog zwakker zal zijn.' Het aansturen van een netwerk is echter geen kleinigheid. De zestien man die in de praktijk het elftal van Ajax vormen, zijn allemaal toppers in hun vak. Zij hebben de neiging tot sterallures en de aanvoerder lijkt zelfs in de meeste topteams op zijn best de primus inter pares. Het is in dat verband altijd illustratief hoe het aanvoerdersbandje probleemloos wordt overgegooid van de een naar de ander bij een wissel of een blessure. Ik moet het eerste bedrijf of ministerie nog zien waar dat met hetzelfde gemak gebeurt.

Cruijff benadrukt de rol van de aanvoerder in tijden van nood. Het is sowieso opvallend hoe hij steeds weer veel terugleidt tot 0-1 achter met tien minuten te spelen. Structuren en systemen worden in zijn visie op leiderschap ontworpen voor de crisismomenten. Hij was hierin ook lange tijd buitengewoon consequent: de aanvoerder moet de beste voetballer zijn, want gedurende een seizoen kom je een paar wedstrijden voor het blok en de kampioen onderscheidt zich van de nummers twee en drie doordat je juist die wedstrijden wint.

Ik praatte voor het eerst met Johan over dit onderwerp eind augustus 1987. Het was een van die gesprekken die je niet vlug vergeet. Marco van Basten was die zomer afgereisd naar AC Milan en Ajax had een nieuwe aanvoerder nodig. Dat kon er maar een zijn: de beste voetballer, Frank Rijkaard. Cruijff was zeer op Rijkaard gesteld, zag in hem een potentieel geweldige voetballer en vond hem een fijne vent. Maar in een interview met Barend en Van Dorp voor Nieuwe Revue in april van dat jaar had hij al wat van zijn aarzelingen laten doorschemeren:

> Hoe komt het dat Rijkaard nog niet die uitstraling heeft die Ruud Gullit al wel heeft? 'Rijkaard is introvert, Gullit is extravert, maar ik hoop wel dat ik hem ooit zo ver krijg, want wat zijn kwaliteiten betreft

> zit hij minimaal op hetzelfde niveau. Ik denk zelfs dat Rijkaard beter kan worden dan Gullit. Ik denk dat Rijkaard tactisch verder en gedisciplineerder is. Technisch zijn ze gelijk, ze zijn beiden redelijk.'
> Niet goed? 'Nee. Redelijk tot goed. Kijk, als ik redelijk zeg, bedoel ik dat uitgaande van topniveau. Omdat Gullit extravert is, speelt impulsiviteit een grote rol in zijn spel, waar Frankie, hoe zal ik dat zeggen, nog altijd denkend wil voetballen. Ik denk dat Rijkaard veel meer kan. Omdat hij nog altijd niet overtuigd is van zijn mogelijkheden, is hij gauw tevreden. Frankie wordt nu pas prof. Iedereen ziet hem als een ervaren prof omdat hij al zeven jaar meespeelt. Maar hij is pas vierentwintig.'

In augustus was de training voor het nieuwe seizoen bijna afgerond en het was nog steeds niet duidelijk of de beste man ook aanvoerder wilde en kon zijn. Waar let je dan op? Cruijff: 'We kregen in een oefenwedstrijd bijvoorbeeld een penalty. Het zal een nulletje of acht geweest zijn. Wie moet die strafschop dan nemen?' Het is, zeker in Nederland, een goede vraag, die echter onmiddellijk door Johan zelf wordt beantwoord: 'De aanvoerder natuurlijk, want die moet laten zien wie de nieuwe baas op het veld is. Maar wat gebeurt er? Er komt een gastje van een jaar of zestien naar voren. Speelt voor het eerst mee, leuk voetballertje, maar zal nooit wat worden. En die zegt: "Laat mij 'm nemen." "Goed," zeggen die gasten, "is leuk voor zo'n jongen.' En hij schiet 'm er ook zo in.'

Ik kan niet ontkennen dat het mij aansprak, maar mijn vreugde was van korte duur. 'Is helemaal fout natuurlijk, want dat had Rijkaard moeten doen.' De aanvoerder moet immers de teamgenoten laten zien wie er de baas is op het veld en om dat duidelijk te maken moet je zulke gelegenheden aangrijpen.

Praat je daar na afloop dan nog over? 'Ja, en dan leg ik uit waarom het anders moet.' Cruijff zag in feite maar twee mogelijkheden: óf

Rijkaard klaarde het, wat hij vurig hoopte omdat het zijn beste voetballer was en bovendien een goede vent, óf hij moest weg. 'De week daarop kregen we weer een penalty, 't zal 4-1 zijn geweest tegen een of andere amateurclub. Ik kijk dan natuurlijk niet, ga zo'n beetje dwars zitten op de bank met m'n sigaret', – hij demonstreert met gevoel voor theater een zeer ongeïnteresseerde coach – 'maar Tonnie (Bruins Slot-PW) vertelt me natuurlijk: "Hij gaat 'm nemen." Dus er is nog hoop.'

Een aantal weken later was het echter mis. Eind september barstte de bom. Met de legendarische woorden: 'Krijg toch de kolere met je eeuwige gezeur' verliet Rijkaard de training van Ajax. 'Het was: tot hier en niet verder. Ik voelde dat ik beter een andere weg kon inslaan. Mijn eigen weg, een weg waarvan ik al lang wist dat het de juiste was.' Elftalgenoot en vriend Arnold Mühren herinnerde zich met pijn in het hart 'de affaire Rijkaard':

> 'Het akkefietje op de training met Johan heeft later alle accent gekregen, maar er was natuurlijk veel meer gebeurd. Want dat incident op zich stelde niks voor. Tijdens de training nam Frank de bal aan, maar volgens Johan was de voortzetting niet goed. Die zei er wat van; een beetje grof misschien, maar dat deed hij wel vaker. Op dat moment was het net of er bij Frank een vulkaan tot uitbarsting kwam. "Verdomme, altijd al dat gezeik aan m'n kop." Hij trok zijn shirtje uit, gooide het op de grond en vertrok naar de kleedkamer.
> Ik dacht eerst nog dat het na de training wel opgelost zou worden, maar die hoop bleek ijdel. In de kleedkamer zei Frank tegen me: "Ik kan er niet meer tegen, het is allemaal teveel voor me." Ik probeerde hem over te halen rustig in het kantoor met Johan te gaan praten. Ik trok hem mee, maar vlak voor het kantoor ging hij ineens terug. "Ik kan het niet. Ik doe het niet meer." Frank draaide zich om, stapte in z'n auto en reed naar huis.'

Rijkaard bleef bij zijn besluit en kwam ruim vijf jaar niet meer terug bij Ajax. Mühren zat ermee: 'Ik weet alleen wel, dat Frank erg veel moeite had om de rol van Marco van Basten over te nemen, als leider van het elftal. Johan verlangde dat, maar zo'n type is Frank niet. Bovendien is hij zeker geen verlengstuk van de trainer, omdat hij van nature vrij weinig met een coach praat. Hij voelde zich ook geremd als hij met teveel opdrachten het veld in moest.'

Johan's reactie was verbluffend: 'En daar gaan we weer: sterven met je ideeën.' Je gelooft in je ideeën of je gelooft ze niet, in dit geval: de beste man moet ook de aanvoerder zijn. Het vervolg was daarom onoverkomelijk: 'Toen Rijkaard het niet bleek te kunnen of te willen, werd het Wouters. Zo'n leider moet je hebben, die duldt geen verzwakking, niet tijdens de training, niet in de kleedkamer, niet tijdens de wedstrijd. Als nummer één het niet doet, dan maar nummer twee.'

De beste – Jan Wouters werd aan het eind van het seizoen gekozen als Voetballer van het Jaar – moet ook de aanvoerder zijn. Het eerste doel is het voorkomen van verwarring op momenten dat het spannend is en iemand op het veld het elftal op sleeptouw moet nemen.

Maar Cruijff geeft ook aan, dat er nog andere vereisten zijn aan de aanvoerder van een netwerk. Hij is, in de woorden van Arnold Mühren, het verlengstuk van de trainer, die de overeengekomen architectuur op het veld bewaakt. De horizontale communicatie, tussen de spelers op het veld, behoort daartoe en dat kon je – tot veelvuldig verdriet van zijn ploeggenoten, die soms stapelgek werden van zijn aanwijzingen – al heel vroeg aan de jonge Cruijff overlaten. Gerrie Mühren herinnerde zich bijvoorbeeld de wedstrijd om het Nederlands jeugdkampioenschap 1963 die hij met zijn Volendam verloor tegen het Ajax van een zeer iele Jopie: 'Hij liep aan één stuk door te lullen. Johan regelde alles in het veld, toen al.'

De aanvoerder bewaakt ook de scherpte en mag tijdens de training, in de kleedkamer en vooral tijdens de wedstrijd geen verzwakking dulden. Een aantal vroegere Ajax-vedetten wordt naar verluid nog steeds 's nachts wakker van de aan- en terechtwijzingen van hun aanvoerder. Oudere broer Gerrie Mühren herinnerde zich hoe het na het vertrek van het duo Michels/Cruijff misliep met het 'oude' Ajax: 'Daarna verdween de discipline en was het voorbij.'

En tenslotte bewaakt de aanvoerder de saamhorigheid. Arnold over zijn eerste training nadat hij van Volendam overkwam: 'Daarna kregen we afwerken op het doel. Nam Johan me even apart. "Kijk, Arnold, zo moet je een bal raken." Dat deed hij dan met z'n buitenkant. Dat was een heel effectieve traptechniek, waar ik weer van leerde. Daar kwam even later Piet bij, die z'n bananenshot demonstreerde. Zoals zij zich als doorgewinterde profs tegenover een knulletje van amper twintig jaar opstelden, heb ik enorm gewaardeerd. Dat tekende de klasse van ze, niet alleen als voetballer, maar ook als mens.'

Het vereist een bepaalde karakterstructuur, een rijpheid met het bijbehorende zelfvertrouwen ook, om op het veld de troepen zo nodig voor te gaan. Arnold Mühren kon zich daarom wel verplaatsen in de problemen van zijn coach: 'Die was Marco kwijt en had daar niets voor teruggekregen. Hij had alleen Frank nog als vedette over en wilde dat hij de kar ging trekken. Maar daar moet je bij Frank niet mee aankomen, die moet je zijn gang laten gaan. Frank zei ook vaak tegen mij: "Ze willen mij op een hoger plan zetten, maar laat mij maar lekker voetballen." Hij wilde niet op een voetstuk staan.'

In 1987 was Frank Rijkaard qua persoonlijkheid zo ver nog niet. Zoals Cruijff het zich in 2000 herinnerde: 'Maar dat was nog een Rijkaard zonder charisma, die niet begreep waarom ik juist hém de aanvoerdersband had gegeven. Frank betrad altijd met zijn kop naar beneden het veld, terwijl de aanvoerder van Ajax juist moet uitstralen dat hij de belangrijkste speler is. Ik wilde Rijkaard zover krijgen dat hij met de borst vooruit de kleedkamer verliet, maar dat zat toen niet in zijn karakter. Dat was de oorzaak van onze ruzie.'

Bewaak de open communicatie

Het blijft altijd een mooi gezicht en tijdens duffe wedstrijden maken de tv-camera's er graag gebruik van: de coaches op de bank of een enkele maal langs de zijlijn, 'opgesloten' in een speciaal daartoe aangewezen vak waar zij worden bewaakt door 'de vierde man', een soort hulpscheidsrechter die naar mijn indruk daartoe is opgeleid en verder ook zeer bedreven is in het klokkijken. Ze dragen meestal een pak met een boord die vaak slecht zit, of bij grote kou een regenjas. Sommigen roken of eten kauwgom, maar allen beoefenen zij de kunst van het stoïcijns kijken: wat er op het veld gebeurt, beroert hen nauwelijks, zo geven zij te kennen.

In zekere zin is dat ook zo. Als de scheidsrechter eenmaal het beginsignaal heeft gegeven, is er tot de rust betrekkelijk weinig dat zij kunnen doen. Dat ligt anders tijdens de rust en vanzelfsprekend gedurende de rest van de week. Maar eenmaal op het veld zijn de spelers in hoge mate kleine zelfstandigen, die zich voor het loffelijk doel van het winnen van een wedstrijd met elkaar hebben verenigd.

Coaches roepen soms zeer luid, vooral in de richting van de scheidsrechter, en ze gebaren naar de spelers. Sommigen kunnen ook indrukwekkend hard op hun vingers fluiten. Maar ik vrees dat er in de meeste teams maar heel weinig spelers zijn die tijdens de wedstrijd serieus aandacht besteden aan de inbreng van de coach. Een daarvan is de aanvoerder en het is een wezenlijk onderdeel van zijn takenpakket. Johan: 'In het veld kan je, als je iets ziet gebeuren, door je eigen positie een ander dwingen daar ook te gaan spelen. Er zijn tientallen mogelijkheden om iets op te lossen. Maar als je aan de kant moet staan schreeuwen, kan je er 'ns eentje bereiken en hem een aanwijzing geven. Je kan niet in een keer alles proberen op te lossen en in het veld wel.'

De aanvoerder moet de vertaalslag maken van de opdrachten van de coach naar de actie op het veld. Bert Hiddema beschrijft bijvoorbeeld het samenspel van Rinus Michels op de bank bij FC Barcelona met Cruijff op het veld: 'Johan is het ideale verlengstuk van Michels in het veld, zodat de tactiek meteen aangepast kan worden, vier, vijf keer per wedstrijd. Zo hoeft er niet telkens in wanhoop naar de trainer te worden gekeken.'

In een topteam mag het echter niet bij een eenzijdige vertaalslag blijven. Eerder hadden we het over teamcreativiteit en de noodzaak van een constructieve ontevredenheid, die de spelers uitnodigt om de grote lijnen van de coach in te kleuren. Op het veld en in de kleedkamer moet worden meegedacht.

Centrumverdediger Velibor Vasovic legt uit hoe dat bij het oude Ajax al het geval was: 'Michels was de architect van dit soort voetbal. ... Michels is degene die het grote Ajax gemaakt heeft, maar wij waren de spelers. Die rollen moet je scheiden. Hij heeft nooit een doelpunt gemaakt. Begrijp je wat ik bedoel? Hij deed zijn deel en wij het onze. En die twee dingen moeten we niet door elkaar halen.' Zijn opvolger Barry Hulshoff vult hem aan en benadrukt tegelijk de rol van de aanvoerder: 'We praatten de hele tijd over ruimte. Cruijff had het er altijd over waar mensen heen moesten lopen, waar ze moesten staan, wanneer ze moesten bewegen. Het ging allemaal over het maken en benutten van ruimte. Het is een soort architectuur op het veld. Het gaat over beweging, maar nog altijd over ruimte, over het organiseren van ruimte.'

Netwerkmanagement – of misschien moet ik blijven bij mijn eerdere woord hockeystickmanagement – stelt zeer hoge eisen aan het leiderschap, dat wel degelijk aanwezig moet zijn maar tegelijk ook weer niet alles kan regelen. In het bedrijfsleven worden veel van de netwerken bijvoorbeeld gevormd door een groot aantal zelfstandige ondernemingen, vaak zelfs concurrenten. Je hebt daarbinnen maar een beperkte zeggenschap. Maar ook bij de overheid met haar vele complementaire bestuurslagen – rijk, provincie, gemeenten, de EU in toenemende mate – worden de netwerken steeds complexer en de eenduidige aansturing navenant moeilijker. Ze laaien bovendien vaak op per onderwerp, op project- of programmabasis, om daarna ogenschijnlijk weer tot rust te komen.

Voorop staat echter dat de spelers de problemen op het veld moeten oplossen en de aanvoerder moet daarin voorop gaan. In het geval van Johan wees hij – wapperend met zijn armen – gedurende zijn hele carrière de weg. Teamgenoot Hans Eijkenbroek blijft verbaasd: 'Ik heb nog nooit een voetballer gezien die zoals Cruijff met de bal aan zijn voet op hoge snelheid tegelijk zijn medespelers aanwijzingen kon geven waar ze moeten gaan staan of hoe ze moeten gaan lopen.'

Het leiding geven op het veld stelt hoge eisen, zoals Ronald Koeman, in 1993 de stabiele libero van FC Barcelona, kon beamen: 'Cruijff neemt het ons wel eens kwalijk, als we de boel tijdens de wedstrijd niet recht kunnen zetten. Ik zie ook bepaalde dingen gebeuren, maar om nou iedere keer tussen mijn tanden te fluiten en te zeggen: stop, jij daar, dat lukt niet zo goed, ga jij daar staan, nee. Hij zegt dat we dan een pas op de plaats moeten maken als het niet loopt, dat we de boel moeten omzetten, zodat de tegenstander de problemen krijgt. Dat is gewoon erg moeilijk. Je hebt het lawaai van de tribunes, vanaf de bank wordt ook al veel geschreeuwd. Misschien kon hij dat alleen, in zijn tijd.'

Toch zijn er weinig alternatieven. De coach bepaalt en bewaakt de grote lijnen van de architectuur van het netwerk. Moet bijvoorbeeld zorgen dat alle spelers op het veld voldoende aan hun trekken kunnen komen. Daarvoor moet het concept voor hen voldoende aantrekkelijk zijn, maar tegelijk wat constructieve spanning oproepen: ze moeten de gaten zien die zij kunnen vullen.

Dat geldt bij het voetbal en dat geldt in het bedrijfsleven. In de computerbranche deed Apple dat huiswerk niet, terwijl Microsoft van de totale inkomsten van het eigen softwarenetwerk maar twintig procent naar zich toehaalde. Daardoor konden de zelfstandige ondernemingen, die aanhaakten bij het netwerk, ook goed verdienen en werd het uiteindelijk zo dominant dat de anti-kartelautoriteiten vonden dat ze moesten ingrijpen. Maar die ondernemingen moesten het op het veld wel zelf doen en hun aanvoerders hadden daarbij de leiding.

Bij Ajax en later bij FC Barcelona was Johan Cruijff daarom het verlengstuk van Michels op het veld. Het is illustratief dat vele jaren na dato er nog steeds geen eenduidigheid is over de bedenker van het totaalvoetbal.

> Ruud Krol: 'Michels heeft het systeem bedacht, natuurlijk. Niet de spelers. Ieder jaar heeft hij eraan gebouwd. Ieder jaar zocht hij naar spelers die hij kon gebruiken om dat systeem op te zetten, zocht hij naar nieuwe dimensies, meer kwaliteit. Ieder jaar zocht Michels, totdat hij de perfecte ploeg en de perfecte stijl had gevonden.'

> Bobby Haarms: 'Cruijff had veel invloed, vooral toen hij ouder werd en steeds meer met de andere spelers begon te praten over tactiek. Maar Michels was de generaal die alles bij elkaar hield. Je kunt zeggen dat het Michels en Cruijff zijn geweest.'

Michels zelf zit er niet mee. Als man van weinig woorden geeft hij een bondig antwoord op de vraag of zowel hij als zijn spelers hebben bijgedragen aan de ontwikkeling van die speelstijl. 'Ja.' En hij heeft stellig gelijk: de coach maakt de houtskoolschets, maar de spelers verzorgen onder leiding van de aanvoerder de inkleuring. Niet elke speler kan deze leiderschapstaken aan en het belang is volstrekt duidelijk, speciaal ten tijde van crises. De aanvoerder moet dan niet alleen de beste zijn maar ook karaktervast: hij mag plat gezegd niet weglopen voor zijn verantwoordelijkheid.

De keuze van een aanvoerder leek mij daarom een belangrijke taak voor de coach. Ik had het moeten verwachten, maar stond toch op het verkeerde been. 'Je kiest hem niet,' zei Cruijff. 'Hij wordt gekozen door het team omdat hij de nummer één is.' Oké, foutje, snap ik: de coach kijkt wie de spelers als de beste ervaren en bepaalt daarop zijn keuze. Cruijff heeft op dit gebied in de loop der tijd – het is een zeldzaamheid – zijn criteria aangepast. Ging het bij Rijkaard en Ajax nog om het beste voetbal, in de heksenketel van Barcelona bleek karakter ook andere dimensies te hebben.

De aanvoerder moet bijvoorbeeld als een 'sociale controleur' de discipline handhaven in de kleedkamer, maar ook terugkoppeling geven aan de coach van wat de spelers op het veld of in de kleedkamer ervaren. In Barcelona heeft Johan een extra accent op deze kwaliteiten gelegd. Hij had, zoals hij het zelf noemde, 'bijgeleerd'.

Bij zijn komst als coach stond aanvoerder Alexanco onder grote druk van de media. Namens de spelers had hij het aftreden van het be-

OVER OPGELOSTE PROBLEMEN

Zomer 1995 leek het erop dat concurrent Real Madrid mogelijk failliet zou gaan. Cruijff: 'Dat is een leuk verhaal, dat stond leuk in de krant, maar het slaat nergens op.' Een dappere interviewer vroeg door en Cruijff antwoordde met een wedervraag: 'Kan jij je een Spaanse competitie voorstellen zonder Real Madrid?' Nee. Waarop Cruijff concludeerde: 'Nou, dat houdt dan al in dat het probleem is opgelost.'

De transfer van Johan Cruijff naar Barcelona stuitte lang op allerlei bezwaren van de overheid, mogelijk geïnspireerd door concurrent Real Madrid. Nadat eindelijk de Spaanse grenzen opengingen en de clubs overeenstemming hadden bereikt over een aankoopsom van vijf miljoen gulden, verbood het Spaanse ministerie van Financiën de transactie. Het was niet verantwoord voor de Spaanse economie dat een dergelijk bedrag aan deviezen zomaar het land zou uitstromen. Na lang zoeken vond de secretaris van Barcelona Armand Carabén een oplossing: Johan Cruijff werd officieel als landbouwmachine geregistreerd en als impuls voor de Catalaanse economie ingevoerd in Spanje.

---

stuur geëist. Johan leerde dat niet de beste met de bal de aanvoerder moest zijn, maar veeleer de man met het grootste overwicht binnen de ploeg. Tot verbazing van velen werd Alexanco het lichtende voorbeeld. 'Hij heeft de spelers niet laten zakken, dat was toen zijn plicht. Daar kan ik alleen maar waardering voor hebben: dat is karakter. ... Hoewel hij nu geen vaste speler van het eerste meer is, is hij nog wel de onbetwiste leider.'

In een recent interview vat hij zijn huidige ideeën over het aanvoerderschap zo mooi samen, dat ik denk dat er een gestudeerd persoon aan te pas is gekomen die zijn intenties heeft verwoord. Het komt over als de tekst uit een handboek voor organisatieadviseurs, maar er is niets fout mee: 'De aanvoerder moet iemand zijn die altijd aan het welzijn van de ploeg denkt, die altijd verdedigt wat hij op basis van gezond verstand en het belang van het collectief hoort te verdedigen. Bovendien moet hij om dezelfde reden bepaalde zaken aan de kaak stellen. En als een trainer zich vergist, dan moet de aanvoerder hem daar op correcte en doordachte wijze op wijzen. Maar als er een beslissing wordt genomen, dan is de aanvoerder de aangewezen persoon om ervoor te zorgen dat deze beslissing door alle spelers gesteund wordt.'

De aanvoerder moet een rots zijn waarop zowel de spelers als de coach kunnen bouwen. Hij moet beschikken over uitstraling en moet vóórgaan in de strijd, zowel op het veld als in de kleedkamer: 'Vanuit mijn perspectief moet een aanvoerder agressief zijn, controversieel, de rest van het team op zijn schouders dragen, ook in discussies met de coach. Hij is degene die praat en het vuurtje stookt binnen het team.'

Tot zover kan ik hem volgen en met hem meegaan. Maar dan komt er bij de praktische uitwerking weer zo'n punt waarbij ik aarzeling heb: moet het wel zo hard of kan het ook anders? Cruijff legt grote – ook publieke – druk op zijn sterkste spelers, we hadden het daar al eerder over, maar vooral de aanvoerder heeft het zwaar. 'Het is makkelijk voor mij met zo'n figuur te werken omdat je het scherp mag spelen. Als de dingen fout lopen, haal je uit naar de aanvoerder, je haalt hard uit, en dan wordt de discipline binnen het hele team hersteld. Je moet alleen wel zeker zijn dat degene die je raakt sterk genoeg is om weer overeind te komen.'

Bij sommige spelers werkte de benadering: 'Van Basten was een schitterend voorbeeld: een heel goede speler, erg agressief en erg zelfzuchtig, alle eigenschappen die je nodig hebt om een erg goede speler te zijn. Het was heel prettig werken met hem en het hielp het hele

OVER ZINLOZE STATISTIEKEN

Sportjournalist Nico Scheepmaker 'turfde' Cruijff: hoeveel maal had hij de bal en deed hij er iets 'goeds' mee? Gespreid over twaalf wedstrijden gedurende zijn beide Ajax-periodes en het jaar Feyenoord kregen 672 balcontacten in 536 gevallen (80 procent) een positief vervolg. Ervan uitgaande dat de statistiek ook op de rest van zijn carrière in Nederland, Spanje en de Verenigde Staten van toepassing is, heeft Cruijff in ruwweg 680 competitie- en bekerwedstrijden ruim 38.000 ballen geraakt waarvan dik 30.000 'goed'.

Als hij met wisselbeurten gemiddeld 80 minuten op het veld stond, beslaan die 680 wedstrijden iets meer dan 900 uren, aanmerkelijk minder dan een werkjaar voor 'normale' mensen. Omdat een wedstrijd gemiddeld ongeveer 120 spelonderbrekingen telt, is de zuivere speeltijd hooguit een uur. Hiervoor gecorrigeerd was Johan ruim 600 uren in beweging.

De gemiddelde voetballer loopt 10 kilometer per wedstrijd waarvan 200 meter in balbezit. Johan zal ongetwijfeld een kilometertje minder hebben gelopen, maar waarschijnlijk wat meer – zeg 300 meter – met de bal. Dat betekent dat hij een 6000 kilometer moet hebben afgelegd waarvan echter maar dik 200 met de bal. Dat is minder dan de afstand van Amsterdam naar Maastricht.

Ruwe schattingen wijzen uit dat voetballers ongeveer 5 procent van hun loopwerk in de achteruit verrichten. Dat zou betekenen dat Johan zo'n 300 kilometer de 'verkeerde' kant op bewoog. Het werkelijke rennen is beperkt tot circa 15 procent van de loopafstand, voor Cruijff dus een 900 kilometer, van Amsterdam naar Lyon.

---

team.' Bij anderen gaf het echter problemen. Toen Cruijf als trainer bij Ajax kwam – dus een paar jaar vóór hun confrontatie – maakte hij Rijkaard voor de eerste keer aanvoerder. Het was een gemengd genoegen: 'In feite was Johan zelf de aanvoerder. Ik liep dan wel met die band om, maar dat had niet meer betekenis dan dat het voor hem een aanleiding was mij aan te pakken. Ik moest dit, ik moest dat.'

Na een tijdje bedankte Frank voor de eer en alweer kan ik hem goed begrijpen: 'Zoiets doe je niet met je aanvoerder. Het was althans niet de manier om mij te stimuleren. Kies je iemand als aanvoerder, dan steun je hem ook. Als er wat is, neem je hem apart en je legt hem dat uit.'

Eerder bespraken we het belang van vertrouwen. Je moet daar binnen een maatschap gericht aan werken en zeker de positie van de aanvoerder is daarbij cruciaal. Een rots moet kunnen beschikken over zelfvertrouwen, de spelers moeten hun aanvoerder zien zitten en de aanvoerder moet kunnen rekenen op de rugdekking van de coach.

Zoals het bij Ajax ging, had Van Bastens vertrek voor Rijkaard vervelende gevolgen. Tegen wil en dank werd hij opnieuw tot aanvoerder gebombardeerd en kwam hij terecht in dezelfde cirkel. 'Ik was aanvoerder en werd vervolgens aangepakt omdat ik iets niet goed deed. Cruijff verwachtte dat ik voorop liep, naar voren trad. Ik wilde best de rol van leider op me nemen, maar niet op de manier zoals Cruijff het wilde. Ik ben een leider op een vriendschappelijke manier. Ik kan iemand een hart onder de riem steken.'

Naar mijn gevoel mag je best wat kanttekeningen plaatsen bij de aanpak van Cruijff. Ik ben nooit topvoetballer geweest en elk vak heeft zijn eigen normen en waarden. Toch blijft de vraag hangen: topsport is hard, maar moet je daarom onaardig zijn? Ik beloof u, ik kom er op terug.

Na een rustperiode in Portugal tekende Frank Rijkaard op uitleenbasis voor elf wedstrijden bij Real Zaragoza om ritme op te doen voor het Europese Kampioenschap '88 in Duitsland. Hij groeide daar uit tot een van de sterren in het kampioenselftal en ging vervolgens samen met Marco van Basten en Ruud Gullit aan de slag in het sterrenteam van AC Milan.

Cruijff zag met genoegen hoe Rijkaard triomfen vierde in Italië: 'Je kunt toch stellen dat ik met hem een behoorlijke confrontatie heb gehad. Als je ziet hoe hij nu bij AC Milan voetbalt, de instelling, de professionele mentaliteit, dat vind ik prachtig. Hoe hij zo ver heeft kunnen komen, dat doet er niet toe. Hij heeft het doel wat hij kon halen, bereikt.'

Nog weer tien jaar later, in juni 2003, na korte periodes als coach van het Nederlands elftal en van Sparta, werd Frank Rijkaard de vierde Nederlandse hoofdtrainer van FC Barcelona. De Telegraaf meldde: 'van harte aanbevolen door Johan Cruijff'.

3

STEL JE HEBT EEN GOED TEAM, WAAROM HEB JE DAN EEN COACH NODIG?

De derde vraag, de hamvraag voor velen op het veld: Stel dat je een goeddraaiend team hebt dat bovendien ook nog bestaat uit goede voetballers, waarom heb je dan nog een coach nodig? Of in het bedrijfsleven een directie of raad van bestuur, en in de politiek een kabinet? Om van de toezichthouders – een raad van commissarissen of een parlement – maar niet te spreken.

Wat is de toegevoegde waarde van de mens bovenaan de piramide? En wat doet hij of zij eigenlijk? Voorop staat dat hij zich aan de zijlijn zorgen maakt en volgens Cruijff niet geheel onterecht: 'Als trainer ben je van één ding afhankelijk: jij zit hier en zij zorgen of je wel of niet ontslagen wordt. Zo zit het verhaal in elkaar.'

Johan is duidelijk: 'Je moet een serie mensen om je heen hebben, of dat nou op of buiten het veld is, die hun taak aankunnen, die hun verantwoordelijkheid durven te nemen, en toch bereid zijn de eindbeslissing aan de baas te laten. Maar die baas is nodig, want als je iedereen gelijkschakelt, dan krijg je onderlinge problemen. Die baas hoeft niet beter te zijn dan de anderen, maar hij moet boven alles baas zijn. Als je elf voetballers samenbrengt, heb je elf meningen. Als die niet beslist, dan ben je verloren.'

Weer hebben we het over het aansturen van netwerken, met zijn enorme vereisten op het gebied van onderlinge afstemming.

Nederlanders zijn daar goed in, het is ons in ons polderland generaties lang als het ware met de paplepel ingegoten. Tegelijk hebben we van onze kracht daardoor soms een zwakte gemaakt, het overleggen van gelijkwaardige partijen werd een doel op zich. Niet zonder reden verzuchtte Cruijff met een gevoel van opluchting als coach in Barcelona: 'Er is nu eenheid, iedereen doet in principe wat ik vraag, het zijn namelijk geen Hollanders, die als je begint te ademhalen al zeggen, ja maar...'

Er zijn zeker twee gebieden, waarop de coach in zijn visie toegevoegde waarde moet hebben: op kortere termijn het creëren van een teamverband en op langere termijn het formuleren en tot leven brengen van een visie. Het is slechts weinigen gegeven deze twee taken succesvol te volbrengen, maar zij vormen het sluitstuk van leiderschap.

GODENZONEN EN HAVENWERKERS

Wat voegt een coach op korte termijn toe aan zijn team? Het antwoord ligt voor de hand: hij zorgt ervoor dat er zestien spelers zijn die samen een team vormen dat volgens de spelregels zoals beschreven in de voorgaande hoofdstukken de concurrentiestrijd aangaat. Het moet dan al gek lopen als je geen kampioen wordt.

De kunst is natuurlijk wel die zestien spelers in huis te halen en er een geheel van te smeden. Steeds weer blijkt het voor veel geld aankopen van zestien toppers, zelfs als daarbij voldoende rekening is gehouden met het evenwicht tussen sterren en Ons Soort Voetballers, nauwelijks tot succes te leiden. Clubs als AC Milan en Inter Milan in Italië, Real Madrid en FC Barcelona in Spanje, Bayern München in Duitsland, Arsenal in Engeland en in eigen land PSV hebben daarvan over een lange periode pijnlijke illustraties gegeven. PSV werd zelfs in de Nederlandse Mickey Mouse-competitie, zoals die oneerbiedig wel werd genoemd, met dure wereldtoppers in de opstelling geen kampioen.

Tegelijk staan in diezelfde competitie al meer dan dertig jaar Feyenoord en Ajax aan de top. Hun resultaten zijn verbijsterend: vanaf 1967 bijvoorbeeld zeventien nationale kampioenschappen en twaalf Nederlandse bekers voor Ajax tegenover respectievelijk vijf en zeven voor Feyenoord. Maar nog spectaculairder zijn hun internationale successen: vijf Europacups voor landskampioenen en/of bekerwinnaars aan de kant van Ajax en nog eens twee voor Feyenoord. En dan natuurlijk twee maal de Wereldbeker voor Ajax en die ene van de Rotterdammers met de beroemde goal van Joop van Daele; wie kende indertijd zijn brilletje niet?

Er zijn twee aspecten die deze trotse series zo bijzonder maken. In de eerste plaats is het volstrekt duidelijk dat het niet gaat om een enkele generatie voetballers. Als een speler een carrière heeft van, zeg, zes jaren aan de top, dan praten we hier over minimaal vijf generaties voetballers. Er is dus sprake van een formule: ergens doen beide clubs iets goed dat hen over een langere periode van tijd onderscheidt van hun concurrenten. In de tweede plaats beseft elke voetbalaanhanger dat ze die successen op geheel verschillende wijzen behaalden. Als je cultuur definieert als 'de manier waarop we met elkaar dingen doen', dan beschikken de twee clubs over een geheel eigen cultuur.

Nu is cultuur een vaag en vaak misbruikt begrip. De halve Veluwe leeft van de managementseminars, waar aspirant-bovenbazen zich tegen betaling van veel geld laten voorlichten over hoe zij leiding kunnen geven aan een cultuuromslag binnen hun organisatie. De andere helft heeft dan weer een broodwinning aan het opnieuw motiveren van de slachtoffers van dergelijke exercities. Een leider kan zich dat gebrek aan kennis eigenlijk niet veroorloven. Het is immers zoals mijn maat Ralph – zelf trekker van een bedrijf met een sterke en eigen cultuur – het uitdrukt: je concurrenten kunnen alles van je pikken en kopiëren, maar niet de cultuur van je bedrijf.

In het volgende tekstblok beschrijf ik daarom het 7S-raamwerk dat mij vele jaren heeft geholpen bij het begrijpen van wat ik zag. Daarna zal ik dieper ingaan op een aantal struikelpunten waar ik in de praktijk met regelmaat tegenaan ben gelopen.

Doorgrond de cultuur

Ajax en Feyenoord: zelden tref je in de normale wereld, buiten de voetballerij, omstandigheden die zich zo goed lenen voor een vergelijking. Vrijwel alles is gelijk: dezelfde sport met dezelfde spelregels, evenveel spelers op het veld, dezelfde kleding, dezelfde speeltijd met halverwege wisselen, per competitie tegen elke concurrent een thuis- en een uitwedstrijd. En toch zulke fundamenteel afwijkende culturen, die ook nog eens volgens alle gangbare maatstaven beide uitermate succesvol zijn.

Ik wil in dit hoofdstuk die culturen tot leven brengen, zodat u dat als lezer ook in uw eigen omgeving kunt toepassen. Daartoe hanteer ik het zogenoemde 7S-raamwerk. Zeven begrippen, alle beginnend met de letter S, omschrijven als een onlosmakelijk geheel het begrip cultuur. Ik moet mij op voorhand excuseren, want het is voor de duidelijkheid noodzakelijk u een vereenvoudigde karikatuur van beide clubs voor te leggen. Zeker in Rotterdam is mij gebleken dat dit soms aanleiding geeft tot misverstanden. Ter geruststelling blijft steeds de vergelijking met PSV op de achtergrond aanwezig, terwijl wij over de andere voetbalgenootschappen, die ons vaderland telt, in het geheel niet zullen spreken.

Ik stel voor te beginnen met de eerste S: die van **strategie**. Ajax kiest traditioneel voor een sterk aanvallende aanpak, waarbij de eigen spelers – met uitzondering van de doelman – zich bevinden op de helft van de tegenstander. De tegenstander wordt in een halve cirkel rond het doelgebied omsloten. Door de bal snel over te spelen binnen die halve cirkel probeert het team openingen en daardoor scoringskansen te creëren.

Ruud Krol legt nog eens uit wat dit pressievoetbal betekent vanuit de achterhoede gezien: 'Wanneer we verdedigden, probeerden we de tegenstander op de middenlijn te houden. Ons standpunt was dat we niet ons eigen doel verdedigden, maar de middellijn.' Dat bewaken van de middenlijn had belangrijke voordelen zoals het niet te veel lopen. 'Je wilt niet terugrennen om te verdedigen, omdat je probeert energie te besparen. In plaats van tachtig meter achteruit te rennen en dan weer naar voren, is het beter om tien meter in beide richtingen te rennen. Dat is twintig meter in plaats van honderdzestig.'

Merkwaardigerwijs vond Feyenoord een geheel andere methode om de renbelasting van de meerderheid van de spelers te beperken door juist te kiezen voor een verdedigende strategie. Het trekt zijn spelers terug in een aantal halve cirkels voor de eigen goal, waar zij zich ingraven als waren het Maginot-linies. Bij veroverd balbezit volgt een lange bal op een of twee eenzame aanvallers, die in het algemeen van buitenlandse origine zijn, Zweedse, IJslandse of Argentijnse sterren zoals Ove Kindvall, Henryk Larsson, Petur Petursson en Ricardo Cruz. Als kleine zelfstandigen proberen die de bal vast te houden tot van achteren versterking komt, of ze gaan solistisch aan de slag.

De tweede S, die van **structuur**, weerspiegelt de gekozen strategie. Ajax is een van de weinige topclubs in Europa die nog steeds uitgaan van een 4-3-3 opstelling, dat wil zeggen met drie spitsen. In het kader van het totaalvoetbal mogen naast de twee buitenspelers ook backs of halfs de achterlijn van de tegenstander proberen te halen, als ze maar voorzetten. De tegenstander wordt dus vanuit alle hoeken bestookt. Statistisch mag je dan verwachten dat je een keer of vier per wedstrijd scoort, hetgeen in het algemeen voldoende is om te winnen.

Feyenoord heeft daarentegen zijn vleugelspelers teruggetrokken naar verdedigende posities op het middenveld en gaat dus veeleer uit van een 4-4-2 of zelfs een 5-4-1 structuur met een enkele maal twee maar vaak slechts één aanvaller. Daar deze echter zeer goed is en erg hard kan lopen, scoor je gewoonlijk twee maal per wedstrijd, hetgeen meestal met een gesloten verdediging ook weer genoeg is voor de overwinning.

Systemen, het samenstel van formele en informele procedures en werkafspraken, vormen de derde S. Het communicatiecentrum binnen de Ajax-cultuur berust bij de spelmaker, meestal de aanvoerder die als een dirigent in de offensieve halve cirkel leiding geeft aan de aanval. Johan zelf legde in 1982 uit wat dit betekent: 'De Mos zet als trainer de grote lijnen uit, in het veld vul ik de details in, ben ik het verlengstuk van de trainer. De routiniers moeten de jongeren de kneepjes bijbrengen. Voetballen kunnen ze al, het gaat om het ontwikkelen van de voetbalintelligentie: wat doe je op welk moment, hoe schakel je over op een ander systeem, hoe help je elkaar in het veld, de concentratie. Dat moet elke voetballer leren, hoe goed-ie ook met een bal kan goochelen.'

Bij Feyenoord is deze centrale rol meestal weggelegd voor een ervaren doelman in het hart van de verdediging. Met overzicht van achter de linies leidt hij als een veldheer het verkeer in de verdediging. Wie heeft versterking nodig? Waar is de kloof tussen de verdedigingslinies te groot en hoe kan die worden gedicht? Feyenoord blinkt uit door intelligente keepers; Eddy Pieters Graafland, Eddy Treytel, Joop Hiele en Ed de Goey vormen daarvan voorbeelden.

Strategie, structuur en systemen vormen tezamen de zogenoemde harde S-en. Je kunt ze redelijk goed in een handboek beschrijven en met een goede cursus kom je een eind bij de uitvoering, ook bij overheid en bedrijfsleven. Dat ligt anders bij de laatste vier, de zachte S-en, die nauwelijks kopieerbaar zijn maar groeien binnen een club mensen. Laat ik er daarom iets langer bij stilstaan.

De **sleutelvaardigheden** verschillen meestal per cultuur. Bij Ajax moeten de spelers bijvoorbeeld de bal met één keer raken kunnen doorspelen naar een medespeler; wij hadden het daar eerder over. Ook de teamdiscipline telt zwaar; een groot deel van het samenspel is gebaseerd op intuïtieve improvisatie.

De ultieme Ajax-teamvaardigheid werd echter toevertrouwd aan een enkele persoon: de doelman die, zoals Johan Cruijff het me uitlegde, verantwoordelijk was voor het pakken van elke bal die over de hoofden van de laatste verdediger, ergens bij de middenlijn, werd geschopt op de eigen helft. Dat stelde zijn bijzondere eisen en niet elke doelman kon daaraan voldoen. Piet Schrijvers, de Beer van De Meer, vertelt over zijn opvolging: 'Toen ik van Ajax naar PEC Zwolle ging, ontstond er een strijd tussen Hans Galjé en Stanley Menzo, die in eerste instantie door Hans Galjé gewonnen werd. Die heeft de eerste paar wedstrijden gespeeld, maar Hans was een echte lijnkeeper. Later koos Johan voor Menzo, omdat hij een meevoetballende keeper wilde.'

Menzo kon inderdaad uitlopen. Hij aarzelde geen moment, maar rende als een speer zijn goal uit om losse ballen uit de wereld te helpen. Misschien speelt mijn geheugen mij parten, maar het waren glorieuze momenten als – alleen gaspedaal, geen remmen – Menzo eens in de zoveel wedstrijden onder de bal doorrende en er zich prachtige taferelen afspeelden in het lege Ajax-doelgebied.

Bij Feyenoord is deze vaardigheid van weinig waarde. De doelman zou al snel in een positie van grote eenzaamheid buiten zijn eigen verdedigingslinies verkeren, waar hij bovendien, als hij wil communiceren met zijn medespelers, IJslands, Zweeds of Spaans moet spreken. Het heeft veeleer behoefte aan de superieure reflexen van de lijnkeeper, die zijn doellijn slechts zelden verlaat.

De Feyenoord-teamvaardigheid bij uitstek werd verpersoonlijkt door stoere karaktervoetballers zoals Beertje Kreyermaat, Theo de Tank Laseroms, IJzeren Rinus Israel en John de Wolf die – zoals dat heet – hun mannetje stonden. Het waren mannen met de wijsheid van de vierkante meter: er kan er hier maar één staan en als je er geen bezwaar tegen hebt, ben ik dat.

De terugblik van Israel naar de wedstrijden tegen Ajax maakt veel duidelijk over de Feyenoord-cultuur: 'Theo Laseroms stond meestal in de dekking op Cruijff, ik stond er vlak achter om hem te onderscheppen als hij er toch langsglipte. Als dat dan niet met één been lukte, dan haalde ik het andere been er ook bij. Meestal raakte ik wel wat.'

Als macho met lange manen was De Wolf het prototype van de harde verdediger, die keer op keer erin slaagde begaafdere tegenstanders te intimideren. Zijn speciale bekwaamheid werd nooit beter omschreven dan door de coach van het Engelse elftal, Graham Taylor, die desgevraagd uitlegde: 'De man kan er langs of de bal kan er langs, maar nooit de man mét de bal.'

Over de jaren heeft Feyenoord een blauweboorden**stijl** behouden.

OVER BIJZONDERE MOMENTEN (2)

6 december 1981, Ajax-Haarlem: 4-1. Na een afwezigheid van acht jaar maakt Johan Cruijff, inmiddels vierendertig jaar oud, zijn rentree bij Ajax. Na twintig minuten passeert hij Gerrie Kleton en Martin Haar en lobt zonder te kijken de bal over keeper Edward Metgod in de goal.

Cruijff: 'Je weet toch dat Metgod wordt getraind door Jan Jongbloed. Dus moest hij wel ver voor zijn doel staan, dan hoef je dus ook niet te kijken.' Oud-Ajacied Kleton, na kritiek op zijn weifelende rol als mandekker: 'Dacht je dat ik die ouwe ook maar een haar zou krenken?'

5 december 1982: Ajax speelt voor de competitie tegen Helmond Sport en Cruijff gaat een penalty nemen. In plaats van op doel te schieten, speelt hij de bal zijwaarts op de inkomende Jesper Olsen. Doelman Otto Versfeld loopt aarzelend uit, waarop de kleine Deen de bal terugschuift naar Cruijff die hem de lege goal inrolt.

Trainer Aad de Mos van Ajax: 'Ik wist niet wat ik zag.' Zijn collega Jan Notermans van Helmond Sport: 'Ik heb zitten genieten.' Keeper Versfeld: 'Ik heb aan allerlei mensen al honderd keer moeten uitleggen hoe die strafschop werd genomen. En, eerlijk, na die curieuze penalty schoot ik steeds weer in de lach.' Cruijff: 'Met de feestdagen in aantocht leek het me wel leuk om dit te doen. Dan hebben de mensen wat om over te praten.'

Discipline (zoals het in verzekerde bewaring nemen van 'je man' op het andere team) en mannelijkheid (zoals niet je kop intrekken in het muurtje) waren onderdeel van de cultuur. Er waren natuurlijk echte artiesten – Coen Moulijn en Mario Been bijvoorbeeld en daarvoor nog Rinus Bennaars – maar die vielen op omdat ze zo uit de toon vielen.

Israel sprak over een wedstrijd in het Olympisch Stadion, waarin Ajax kampioen kon worden maar met 1-3 verloor: 'Wij hebben Ajax toen zo fysiek geïntimideerd dat alle verzet brak. Keizer moest al in de eerste helft geblesseerd het veld af. Cruijff durfde de duels toen ook niet meer aan. Theo en ik spraken van tevoren niet af Cruijff extra hard aan te pakken, het was gewoon onze manier van spelen.'

Ajax daarentegen was stapelgek op 'artistiek' voetbal; vloeiende combinaties, een rijkgevulde trukendoos en supergoals ontmoedigden de tegenstander. Het zogenoemde poorten – de bal tussen de benen van de tegenstander doorspelen – was een kunstvorm, zij waren nimmer meer dezelfde.

De voorbeelden zijn legio. Mooie momenten: de penalty van Johan Cruijff en Jesper Olsen tegen Helmond Sport; de jongleeroefening van Gerrie Mühren – bal op de linkervoet hooghouden in de middencirkel – in de halve finale van de Europacup in het bomvolle Bernabéu stadion tegen Real Madrid.

Maar het meest karakteristiek voor de Ajax-stijl was ongetwijfeld de ren langs de zijlijn van Richard Witschge met de bal opzichtig negen keer stuiterend op zijn knieën op de Feyenoord-helft. Vroegere ster Wim van Hanegem verklaarde dat hij zo iemand de volgende keer zou 'opzoeken'. Hetgeen, zoals voetbalcolumnist Auke Kok aangaf, betekende 'dat de ambulance alvast stationair kon draaien'. Het was in die zin een teken van verval dat tijdens de returnwedstrijd in De Kuip de Feyenoord-spelers niet allen hun corrigerende toerbeurt vervulden bij het onderschoffelen van de hautaine Witschge: er zijn nu eenmaal dingen, die je bij ons in de haven niet doet.

De zesde S omschrijft het begrip **staf**. Met alle respect, maar het gaat hier niet om Tante Sien die in de kantine van De Meer de scepter zwaaide. Legendarisch is de zelfgemaakte macaroni, die ze een dag liet staan omdat opgewarmde macaroni zoveel lekkerder is. Het gaat in feite om de verwachtingen die spelers koesteren van hun club.

Veertienjarige jongens komen bij Ajax en dromen ervan een superster te worden en Europacups te winnen. Tegen de tijd dat zij twintig zijn, is duidelijk wie als voetballer zal slagen. In het slechtste geval is een stek bij een minder ambitieuze club vrijwel zeker. Vóór het beroemde Bosman-arrest – de uitspraak die de extreem hoge transfersommen ondergroef – werden in het gunstigste geval de vier succesvolle jaren bij Ajax gevolgd door een glorieus contract in Italië of Spanje.

Hoewel ik geloof dat er op dit gebied wat is veranderd, trok Feyenoord traditioneel geheel andere spelers aan, veelal 26- of 27-jarigen met een solide carrière achter zich en nog drie tot vier goede jaren in de benen. Als zij daarna hun loopbaan als actieve voetballer beëindigden, vestigden zij zich in een sigaren- of textielwinkel of bleven actief als trainer van een amateurclub zoals Zwart Wit '28 of Barendrecht.

Als voetnoot: nadat ik dit verhaal jarenlang met inzet had verteld, gaf de aanstelling van John de Wolf als trainer van Zwart Wit '28 mij een speciale vreugde. Hoewel ik moet toegeven dat het mij raakte toen de buurtclub, misschien juist wel door te hoge betalingen aan ex-profs, onlangs failliet ging.

In het hart van het 7S-raamwerk geven de **samenbindende waarden** uitdrukking aan de 'thrill', de vonk die mensen de extra inspiratie en het wederzijdse vertrouwen biedt om hun samenwerking een meerwaarde te geven. Johan kijkt terug: 'Grote saamhorigheid: dat is het beeld van Feyenoord dat me is bijgebleven.' Feyenoord's clublied, door stadions vol meegezongen in de jaren zestig en zeventig, voegde betekenis toe aan de gedeelde cultuur. 'Hand in hand, kameraden', een mooiere samenvatting is niet denkbaar.

Ajax moest lang wachten op een vergelijkbare verwoording van zijn cultuur. Het onofficiële clublied tijdens de eerste golven van succes zo'n dertig jaar geleden knipoogde naar de eigen superioriteit: 'Op een slof en een oude voetbalschoen wordt Ajax kampioen.' Maar stellig nog arroganter was de bijnaam die de Amsterdammers zich toe-eigenden en die ook als titel diende van het boek dat zijn perschef David Endt publiceerde: 'De Godenzonen van Ajax'. Wat moet je daar aan toevoegen?

Bezin eer je begint

Stel je hebt het raamwerk doorgrond en je kunt je in de zeven S-en herkennen. Je hebt zelfs onderkend dat je niet zomaar een enkele S kan bijstellen, maar dat de zeven uit één hand moeten worden opgelijnd. Wat doe je er dan als leider in de praktijk mee?

In de eerste plaats: laat je niet afleiden. Er wordt te veel te vaag getheoretiseerd over het begrip cultuur. Elke club heeft zijn eigen cultuur, het verschil tussen kampioenen en volgers zit in het afstemmen van de zeven S-en. Structuur volgt ook niet strategie of andersom, zoals in vele elkaar tegensprekende managementboeken wordt beweerd. Het zijn gelijkwaardige elementen binnen een cultuur die hoort te zijn afgeleid uit een langetermijnvisie.

In de tweede plaats: bezin eer je begint. Onderschat nooit de diepe doorwerking van sterke culturen. De prijs, die daarvoor in sport en bedrijfsleven al vele malen is betaald, is te hoog. De vergelijking van de Ajax- en Feyenoord-culturen laat geen twijfel: kijk uit bij tenminste drie soorten beslissingen.

Wees voorzichtig met **fusies en overnames** als de cultuurverschillen tussen de beide partijen groot zijn. Ik geloof dat een keer in essentie is geprobeerd de Ajax-aanval in het Nederlands elftal te combineren met de Feyenoord-verdediging; uiteindelijk waren zij op hun gebied beide de beste. Het resultaat is echter voorspelbaar een gapend middenveld.

Het is in het bedrijfsleven steeds weer curieus te merken hoe makkelijk over dit soort 'kleinigheden' wordt heengestapt. Een beetje manager wordt geacht dat even te regelen. Wat de harde S-en – strategie, structuur en systemen – betreft, lukt dat meestal ook nog wel; papier is immers gewillig. Maar die verrekte zachte S-en – sleutelvaardigheden, stijl, staf en samenbindende waarden – werken zelden mee. Kijk maar eens naar het droeve lijstje. Je kon van tevoren bijvoorbeeld vraagtekens zetten bij alle fusies van grote accountants en organisatieadviseurs: ze zijn te verschillend van geaardheid. Na het Enron-debacle werden de meeste weer uitgesplitst, maar de nieuwe combinaties die daarna werden gevormd tussen ICT-bedrijven en de afgesplitste adviespoten vragen om nieuwe problemen. Het zijn, eenvoudig gesteld, andere takken van sport en dat is nog een slagje moeilijker dan Feyenoord en Ajax die tenminste nog hetzelfde spel speelden.

Fusies en overnames zijn moeilijk en dat geldt helemaal als er een internationale dimensie aan zit. Nationale culturen verschillen en dat wordt, tot schade van aandeelhouders en medewerkers, veelvuldig onderschat. Het internationale topvoetbal biedt daarvan vele illustraties. Cruijff keek bijvoorbeeld naar het voetbal aan de overzijde van de Noordzee en constateerde: 'In Engeland zijn ze een beetje in de war. Dat komt doordat er meer buitenlandse sterren spelen dan Engelsen.' Een multiculturele hutspot verliest veel van zijn kracht: 'De romantiek van het Engelse voetbal is goud waard. Strakke inspeelpasses, mannelijke duels en vooral niet zeuren. Dat gaf een prima sfeer. Door de invloed uit andere voetbalculturen is Engeland zichzelf niet meer.' Is dat een goede ontwikkeling? 'Dat denk ik niet. In Europa heeft ieder volwassen voetballand een eigen cultuur. Dat zouden we moeten koesteren.'

De aardigheid zit in de verschillen. Velen binnen en buiten het voetbal zijn dit vergeten. Herinnert u zich bijvoorbeeld de Nederlands/Duitse avonturen Fokker/VFW en Estel (Hoogovens/Hoesch)? Velen houden hun hart vast bij de vooruitzichten voor Corus (Hoogovens/British Steel) en KLM/Air France. In feite zijn de succesvolle internationale fusies wereldwijd op tien vingers te tellen; Shell en Unilever horen daarbij.

Neem en geef ook de tijd voor **acclimatisering**. Een vreemdelingenlegioen kan niet met een toverstaf worden omgevormd tot een eenheid. Spelers die afkomstig zijn uit een andere cultuur, nemen bij een verhuizing die cultuur mee naar hun nieuwe omgeving. Zij lopen daardoor het risico te worden uitgestoten als – onze oosterburen hebben daar zo'n mooi woord voor – Fremdkörper.

Johan liep zelf als eenling frontaal tegen dit cultuurprobleem aan toen hij in Amerika bij de Washington Diplomats speelde. 'Ik ga die Cruijff vermoorden!' riep zijn coach Gordon Bradley wanhopig uit. 'Het was verschrikkelijk. We botsten voortdurend. Cruijff wilde een ijzeren teamdiscipline. Nou, dat kan in Europa, maar niet in de States.' Kort voor een grote wedstrijd sprak Bradley zijn stervoetballer aan: 'Het wordt nu tijd voor de echte grote unieke Cruijff.' Hij antwoordde: 'Oké, als jullie het zó willen, ga ik helemaal voor mezelf spelen.' Het werd een ommekeer; van de laatste elf wedstrijden wonnen de Diplomats er negen. Bradley's commentaar is kenmerkend voor de individualistische Amerikaanse cultuur: 'Johan scoorde tien keer en bereidde twintig goals voor. Hij werd gekozen tot beste speler van de League en scoorde "het doelpunt van het jaar".'

Weer dringt zich een vergelijking op met andere eenlingen die zich begeven in vreemde culturen. Mensen die worden overgeplaatst naar een vreemd land of – vaker – naar een hun vreemde functie. In het bedrijfsleven worden mensen 'verbreed' zodat ze multi-inzetbaar worden. Dat is op zich goed maar het kost tijd, niet alleen om het nieuwe vak te leren, maar vooral ook om zich de cultuur eigen te maken. Bij de overheid is het niet anders. Topambtenaren roteren met hoge snelheid tussen departementen en, gelooft u mij, die verschillen. Kijk ook eens naar de politiek, waar met grote blijmoedigheid en regelmaat – elke vier jaar – een nieuwe ploeg op de departementen wordt gedropt. Waarbij de affiniteitsvraag zelden aan de orde komt. Het is bijna een wonder als dat goed gaat.

Nieuwe spelers hebben tijd nodig om te acclimatiseren, in onze multiculturele samenleving zou je spreken van integreren. Misschien zouden onze ongeduldige politiek en overheid op dat gebied een voorbeeld moeten nemen aan de opvang van Jan Wouters – in Amsterdam een allochtoon afkomstig van FC Utrecht – bij de Godenzonen. Wouters over zijn eerste periode onder Cruijff: 'Toch moet het ook voor hemzelf een gok geweest zijn. Je weet nooit of ik datgene waartoe hij me in staat achtte ook zou waarmaken. Desondanks heeft hij me nooit onder druk gezet, maar er juist altijd op gehamerd dat ik geduld moest hebben. Dat ik tijd nodig had om aan Ajax te wennen en andersom. Uiteindelijk is het allemaal goedgekomen.'

In latere jaren heeft Ajax, geconfronteerd met een stagnerende toevoer vanuit de eigen jeugd, een aantal malen geprobeerd een heel vreemdelingenlegioen met de bijl te integreren tot een eenheid. Cruijff zag het nauwelijks zitten: 'Als je, zoals nu in Nederland, veel buitenlanders naar binnen haalt, haal je veel mentaliteiten naar binnen en die zijn heel moeilijk te controleren. Vandaar dat het heel moeilijk is om een zeer solide geheel te maken als je veel mentaliteitsverschillen hebt.' Het werkte ook maar beperkt. Co Adriaanse werd bijvoorbeeld in zomer 2000 door Ajax aangesteld als trainer van een bijeengekocht gezelschap van op zich wellicht goede voetballers. Hij zei anderhalf jaar nodig te hebben om er een eenheid uit te smeden. Zoveel tijd om de S-en op te lijnen wordt je aan de top echter zelden gegeven, ook niet Adriaanse. Na dik een jaar werd hij ontslagen.

Maar het is ook een terugkerend probleem bij bedrijven, die te snel groeien zoals we dat in hoogtijdagen van de e-business meemaakten en die te veel mensen van buiten moesten halen. Weinig organisaties blijken dan in staat de eigen cultuur, vaak gebaseerd op ondernemingszin en inkoopactiviteit, te handhaven. Ze hadden kunnen leren van Ajax en zeker ook van de kostbare ervaring van PSV dat, zelfs met de beste voetballers ter wereld aan boord: Romario en Ronaldo, er weinig van bakte. Zoals Ajax-voorzitter Ton Harmsen het indertijd inwreef: 'PSV wil alleen maar met zoveel mogelijk geld zo snel mogelijk naar de top.' Dat Harmsen zelf uiteindelijk struikelde over het zwart betalen van buitenlanders, is in dat verband een aardige nuance.

Moeilijk is 't wel maar niet hopeloos. Er zijn voorbeelden van buitenstaanders die wel degelijk aansloegen. Bij Ajax super-teamspelers als Jari Litmanen, Stefan Petterson, Jesper Olsen en Christian Chivu, of van een oudere generatie Velibor Vasovic, Horst Blankenburg, Frank Arnesen en Søren Lerby. Elders waren er ook grote trainers zoals Ernst Happel, eerst bij Feyenoord – 'kein Keloel' – en daarna bij het Nederlands elftal. Maar het blijven de de uitzonderingen.

Er is een derde les: niet elke individuele speler past. De **werving en selectie** van de spelers moet dat oppikken, maar doet dat – verblind door individuele kwaliteiten – vaak niet. Dikke namen worden aangekocht en geplakt naast andere dikke namen. En tegelijk is iedere leider het zonder moeite eens met Cruijff: 'Als je voor elke positie de beste speler kiest, heb je nog geen sterk elftal maar een team dat als los zand uiteen valt.'

De Georgiër Georgi Kinkladze speelde bijvoorbeeld aan het eind van de jaren negentig korte tijd met weinig succes bij Ajax. Achteraf gezien was dat voor de hand liggend, omdat het woord team niet in zijn woordenboek voorkwam. Zoals een Ajax-scout vernietigend opmerkte: 'O ja, hij is een geweldige speler. Veel techniek. Maar als je hem na de wedstrijd onder de douche zou vragen: "Hé Georgi, wat was de uitslag?" dan zou hij je dat niet kunnen vertellen.'

Er waren vele anderen, Nederlanders zoals Willy Brokamp en buitenlanders zoals Dani en recent ook Nikos Machlas en Mido. Het waren goede voetballers maar zij pasten niet binnen de bestaande cultuur. Een eigen opleiding heeft bij een aantal bedrijven vooral om die reden een voorkeur boven een instroom van buiten op hogere niveaus. Dat biedt volgens Johan bovendien praktisch voordeel: 'Dan fluiten de toeschouwers minder hard als het niet goed gaat.'

Bij Ajax worden aankomende talenten al heel jong aangetrokken. De selectiedagen zijn beroemd, ik heb er met verbijstering een keer langs de zijlijn gestaan toen onze favoriete buurjongen Reinier 'mocht' meedoen; we waren zeer gelukkig dat hij het niet haalde. Er zat naar mijn gevoel een element van dwangmatigheid in het concept: het was niet het jeugdvoetbal-voor-de-lol waarmee ik groot werd. Wil je echter de top bereiken, als voetballer en als club, dan heeft het wel wat. De idee achter de Leerschool Ajax was de interne vorming van de uitverkorenen in de cultuur van de vereniging.

De twintigjarige Dennis Bergkamp beschreef in 1990 precies waar het om ging: 'We spelen van jongsaf aan bij Ajax. Dat betekent aanvallen, overal waar je bent. We gingen altijd van onszelf uit. Iedereen gaat tegen je opkijken. Op een gegeven moment kun je dan niet meer stuk, krijg je uitstraling. In de opleiding leren we af te rekenen met faalangst. We zijn toch zeker van Ajax?'

Het is een wonderlijk groot verschil met veel grote organisaties elders. Een aantal multinationals heeft prima programma's op het gebied van managementontwikkeling. Maar het heeft me bijvoorbeeld altijd verbaasd dat zakelijke dienstverleners zoals advocaten, die toch afhankelijk zijn van de kwaliteit van hun mensen, hun opleiding uitbesteden. Ik heb ook jarenlang 'gescoord' met mijn kritiek op de loterij aan de ingang van overvraagde opleidingen in ons hoger onderwijs: 'Johan Cruijff stelt toch ook niet zijn elftal samen door het loten onder de leden van Ajax? Als je aan de top wilt spelen en Europacups wilt winnen, moet je de beste spelers het veld insturen. Dat betekent dat je moet durven selecteren.'

Ook een coach moet binnen de cultuur passen. Een aanstelling van buiten brengt het gevaar van totale vervreemding met zich mee. Arnold Mühren, nagenoeg steeds een genuanceerd en minzaam mens, liet geen twijfel bestaan: 'Georg Knobel was niet de trainer voor Ajax. Hij had bij MVV goed werk gedaan, maar je merkte dat hij enorm tegen Ajax opkeek.' Kurt Linder had 't volgens hem evenmin niet en raakte vervreemd van de spelers en de club: 'Het had niets meer met het Ajax-voetbal te maken. Dat is avontuur, risico nemen, mensen uitspelen en doorschuivende spelers.' Bovendien zwabberde hij, kon niet kiezen: 'We hadden alle systemen uitgeprobeerd, behalve dat van Ajax.'

Kijk naar de twee LPF-ministers Heinsbroek en Bomhoff die elkaar het kabinet uitvochten: kwestie van passen in een cultuur? Kijk ook nog eens kritisch naar de topbenoemingen in de raden van bestuur en zelfs de raden van commissarissen van onze grote ondernemingen. Vaak worden duurbetaalde toppers van buiten aangetrokken. Passen zij voldoende binnen de cultuur van hun onderneming? Bij werving en selectie zouden het normale vragen moeten zijn.

Houd de vinger aan de pols

Culturen ontwikkelen zich in de loop van de tijd. Wat eerst goed was, hoeft dat niet te blijven. Eens in de zoveel keren moet je als leider daarom de vinger aan de pols houden en ijken of de zeven S-en nog wel passen bij de concurrentieomgeving en bij de samenstelling van de eigen spelersgroep.

Ronald Koeman gaf daarvoor een goede voorzet. Een aantal jaren na zijn Ajax-periode kwam hij Cruijff als coach weer tegen bij Barcelona: 'Bij Ajax had-ie een groep van eenentwintig, tweeëntwintig jaar waarmee je elke minuut van de dag bezig moest zijn. Jongens als Van Basten, Rijkaard, Vanenburg, Van 't Schip, De Wit en ikzelf konden natuurlijk al goed voetballen, maar we moesten voortdurend achter onze broek gezeten worden omdat we nogal gemakzuchtig waren. De groep bij Barcelona was in dat opzicht verder, die accepteerde ook meer dan die van Ajax met al die eigenwijze, jonge gasten.'

Als je zo'n sprong maakt van de ene naar een andere organisatie, pas je je aan als coach. Je kunt bijvoorbeeld meer bouwen op de ervaring en het professionalisme van je team. Het is echter een stuk moeilijker als je vanuit een bepaalde toppositie geacht wordt de sluipende veranderingen te registreren en daarop, waar nodig, actie te nemen.

Ook hogere organen – het clubbestuur, de raad van commissarissen, de ledenraad, de aandeelhoudersvergadering of het parlement – moeten de S-en aanvoelen. Juist binnen deze groeperingen bestaat het risico van een overmatige clubliefde, die makkelijk kan ontaarden in een vorm van bedrijfsblindheid. Nog groter is het risico van arrogantie dat speciaal uitermate succesvolle organisaties bedreigt. IBM bijvoorbeeld was decennialang de onbetwiste leider op het gebied van computers, maar ging serieus onderuit toen de organisatie 'lui' en topzwaar werd. Ook Philips kreeg het zwaar toen de technologische superioriteit binnen de consumentenelektronica niet meer kon worden omgezet in een commerciële voorsprong op de snellere Japanners.

Een beperkte arrogantie – het betere woord is trots – heeft zijn positieve kanten. Zoals voorzitter Ton Harmsen antwoordt op de vraag naar de oorzaken van het succes van Ajax: 'De uitstraling, arrogantie en Amsterdamse lef die de club vertegenwoordigt.' Bij het aantrekken van sponsor Citroën levert directeur Arie van Eijden een gepolijste reclametekst: 'Het imago van Ajax staat voor agressief, want aanvallend, creatief, progressief, trendsetten, en tenslotte ook nog voor een stukje arrogantie.' Verwijzend naar hoofdsponsor Opel van de Rotterdamse concurrent benadrukt hij het cultuurverschil: 'Duitse degelijkheid is toch meer iets voor Feyenoord.'

Ook intern kan de zelfopgelegde druk, mits niet te gek opgevoerd, positief doorwerken. Cruijff aan het slot van het succesvolle seizoen '86-'87: 'Natuurlijk besef ik dat we deze competitie een bepaald verwachtingspatroon hebben gewekt. Dat geeft me een heerlijk gevoel. Favoriet zijn. Dat is een teken dat ze je hoog inschatten.'

De arrogantie van een sterke cultuur, versterkt door de jaloezie op succes, roept echter ook weerstanden op. In april 1975 legde de toenmalige bondscoach Georg Knobel de training van het Nederlands elftal stil omdat Neeskens en Cruijff pas later bij de selectie uit Barcelona aankwamen. 'Het leek wel of de koning en de onderkoning arriveerden,' spotte doelman Jan van Beveren. Door het optreden van Cruijff bedankte de PSV'er samen met zijn ploeggenoot Willy van der Kuylen twee weken later voor het nationale team.

In 1986 was het weer raak. Verdediger Danny Blind verklaarde in een interview: 'Als we met zeven man van Ajax bij Oranje zitten dan moeten wij van Cruijff ook beslissen wat er gebeurt. Als iemand dwars ligt, zorg je gewoon dat je hem eruit speelt. Dan speel je hem bijvoorbeeld op een rot manier aan. Het kost me wel moeite om zo te denken, maar dat leer je wel.' PSV-doelman Hans van Breukelen was niet gecharmeerd: 'Laat ik er dit van zeggen: de opmerkingen van de Amsterdamse collega's – als ik ze nog collega's kan noemen, nee, als ze zich nog collega's willen láten noemen – na Griekenland sloegen helemaal nergens op. Het geouwehoer is weer begonnen. De Ajax-speler Danny Blind zei in een krant dat de Ajacieden in het nationale team als groep opereren, de niet-Ajacieden moeten zich maar aan hen aanpassen. Zo'n uitspraak verklaart veel. Een PSV'er past zich echter alleen aan aan de bondscoach en aan het spel dat hij voorstaat.'

Ik moet toegeven dat ik met hem meevoel. In Den Haag was het soms een beperkte vreugde te werken met het ministerie van Financiën, dat zoveel macht had dat sommige spelers een tikje te arrogant werden. Sowieso vinden veel Nederlanders dat van de overheid; zoals mijn vader me leerde: 'De overheid is een schurk met een hoge hoed.' Je wordt soms beroofd of op z'n minst niet serieus genomen, maar dat gebeurt wel op een nette wijze.

Ook in het bedrijfsleven tref je dat aan. Bent u ooit met de pet in de hand naar een bank gegaan om onder benarde omstandigheden extra financiering te regelen? Hebt u ooit te maken gehad met die enorme multinationals met hun hoogopgeleide staven die je behandelden als een melkboer: leveranciers aan de achterdeur? Hebt u ooit vragen gesteld bij een aandeelhoudersvergadering en bent u toen met een kluitje het riet ingestuurd? Hebt u in de hoogtijdagen van de e-business verkeerd in het gezelschap van ICT'ers die toen de absolute wijsheid in pacht hadden?

Het hoofd boven de wolken: prima, zolang de voeten maar aan de grond blijven. De toezichthouders-op-afstand – clubbesturen, raden van commissarissen, enz. – hebben hierin een belangrijke toegevoegde waarde bij het behouden van een voortdurende voeling met wat er in de buitenwereld gebeurt. Het is daarom van groot belang dat zij roteren, niet te lang op een stek zitten. Twee keer vier jaar, heel misschien een maximum van tien jaar: het lijkt mij mooi. En de vroegere baas, ongeacht zijn verdiensten, nooit in de raad van commissarissen. Zij moeten ook bewaken dat het management voldoende aandacht besteed aan het scherphouden van de eigen organisatiecultuur. Het gaat er steeds om dat de zeven S-en zijn opgelijnd: dat alle klokken als het ware gelijk staan.

De hoofdrol is echter vanzelfsprekend weggelegd voor de coach, of elders de topmanagers of toppolitici. Toezichthouders mogen niet op hun stoel gaan zitten; hun belangrijkste taak is veeleer de goede mens op de juiste plaats te zetten en die zowel te ondersteunen als te controleren.

Michael van Praag, één van de 'goede' voetbalvoorzitters, moest dit tot zijn en ook Ajax' schade en schande leren. Bij zijn afscheid als voorzitter in de zomer van 2003 keek hij terug op een historie van mislukte trainersbenoemingen: 'Inmiddels ben ik er wel achter dat de trainer de belangrijkste man binnen de club is. Eerder hadden Rinus Michels en Johan Cruijff dat al bewezen, nu heb ik het zelf aan den lijve ondervonden. De trainer kiest het team, geeft richting aan het sportieve verhaal en, meer dan de directeur of voorzitter, zet hij naar de buitenwacht de club neer.'

Goede coaches zijn minimaal in staat de altijd noodzakelijke bijstellingen in de cultuur door te voeren, om het zo maar uit te drukken: de zeven S-en fijn te regelen. Supercoaches kunnen leiding geven aan een totale cultuuromslag, waarbij alle S-en fundamenteel verdraaid worden. Het risico bestaat immers dat succes verlies kweekt. Een oude formule wordt te lang gehandhaafd, culturen verstarren en verstikken.

Het wordt Johan Cruijff bijvoorbeeld veelvuldig verweten dat hij vasthoudt aan het spelen met de drie aanvallers. Cruijff daarover: 'Ik ben in Spanje de enige trainer die met drie spitsen speelt, mijn collega's verklaren me regelmatig voor gek, maar we scoren meer dan twee doelpunten per wedstrijd, daar hoor ik niemand over.'

Toch zag Ronald Koeman in de loop der jaren de grijstinten toenemen: 'In zijn begintijd maakte hij als trainer ook best fouten. Hij dacht toen heel zwart-wit. Ook als het minder liep bleef-ie hardnekkig aan bepaalde zaken vasthouden. Nu laat-ie een rechtsbuiten wel eens wat meer hangend spelen of hij zet er wel eens een verdediger in voor een aanvaller.' Ongeacht de bijstellingen bleef de essentie echter overeind. 'Cruijff heeft zo hier en daar dus wel wat concessies aan z'n voetbalvisie gedaan, maar hij zal altijd risico in het spel blijven leggen.' Koeman's blijvende ver- en bewondering komt mooi over uit zijn beschrijving van de halve finale van de Europacup II in het seizoen '90/'91, die Barcelona uiteindelijk met 3-1 won:

> 'Dat zag je bijvoorbeeld thuis tegen Juventus in de halve finale voor de Europacup toen wij met een enorm aanvallend ingestelde ploeg speelden. Johan vond hun middenveld zwak omdat daar geen echte breker liep. Volgens hem konden we die wedstrijd met 5-0 winnen, we zouden historie kunnen schrijven.
> We zaten hem een beetje raar aan te kijken, bij Juventus lopen tenslot-

te wereldsterren rond. Verdedigend vond Johan Juventus niet beter dan Trabzonspor waarvan we met 7-2 wonnen. Ik wist niet wat ik hoorde.
Uiteindelijk had 't inderdaad makkelijk 6-1 kunnen worden tegen Juventus als we de kansen beter benut hadden. Had-ie dus toch weer gelijk gehad.'

De vraag blijft natuurlijk: Hoe neem je jezelf de pols waar het betreft de organisatiecultuur als voorloper van een misschien wenselijke bijstelling of zelfs omslag? Voorop staat dat alle betrokkenen doordrongen moeten zijn van de noodzaak daartoe: het is geen kleinigheid om de zeven S-en op te lijnen.

Stel bijvoorbeeld dat Cruijff gelijk heeft met zijn oordeel over het huidige Barcelona: 'De instelling binnen de hele club moet veranderen, niet alleen bij de spelers maar ook bij de mensen rondom het elftal, de begeleiders en het bestuur. De meesten zitten er al jaren en hebben nooit iets gewonnen. Barcelona moet altijd iets winnen.' De consequenties kunnen dan ingrijpend zijn: 'Dus de hele denkwijze, aanpak, mentaliteit en cultuur moeten veranderen. Mensen die dat niet kunnen opbrengen, moet je er gewoon uitgooien, want die mensen hebben geen toekomst bij Barcelona. Er moet een nieuwe spirit in het elftal komen en dat werkt vervolgens door in alle hoeken en gaten van de club.' De coach – in dit geval Frank Rijkaard – wordt daarmee opgezadeld en behoeft steun: 'Dat is niet eenvoudig, want je zit met doorlopende contracten en de situatie is niet zodanig dat je maar kunt kopen. Daarom moet iedereen geduld hebben en ik hoop dat de supporters daar begrip voor hebben.'

Het hoofdprobleem zit vrijwel onveranderlijk tussen de oren en eerst dient een gedeeld besef te ontstaan van de noodzaak van een cultuuromslag en van de richting daarvan, zeg: een nieuwe, betere

OVER GOD(SDIENST)

Gerrie Mühren: 'Met een jeugdelftal kwam Johan Cruijff ooit in de kleedkamer van een katholieke voetbalclub. Daar hing een kruisbeeld. Een van de spelertjes zei nogal spottend, wijzend op de Christusfiguur: "Zou hij vroeger ook scheenbeschermers hebben gedragen?"

Maar dat vond Johan niet leuk. Hij gaat zelf niet naar de kerk, maar hij heeft wel ergens houvast aan. De gebeurtenissen van die middag moeten mede daarom een diepe indruk op hem hebben gemaakt. Hij heeft mij het verhaal tenminste wel duizend keer verteld. Want wat gebeurde er even later toen de wedstrijd begonnen was? De jongen die de in Johans ogen misplaatste grap maakte, liep na tien minuten een dubbele beenbreuk op!'

Wat vind je van al die spelers in Spanje, die voordat ze het veld in gaan twintig kruisjes slaan? 'Dat moet je zien als opvoeding. Maar als je daarover nadenkt, dan klopt het niet, want als alle tweeëntwintig hetzelfde doen, wie wint er dan? Dan speel je allemaal gelijk, dat kan natuurlijk niet. Je moet het zien als een gegeven.'

---

afstemming van de zeven S-en. Pas daarna kun je als leider een actieplan opstellen voor de verandering zelf.

Om dat draagvlak te testen en te versterken heb ik in de loop der tijd een simpel recept toegepast. Laat iedereen het Ajax-Feyenoord-verhaal lezen, zodat elk van de zeven S-en een betekenis heeft en de wenselijkheid van een samenhang duidelijk is. En vraag daarna het gezelschap – het werkt tot een man of twintig – om bij elk van de S-en de een of twee trefwoorden te plaatsen van een na te streven 'eindspel', zeg de situatie die je met elkaar over twee jaar gerealiseerd wilt hebben. Die trefwoorden bespreek je met elkaar en je polijst ze totdat er bij elke S een of twee overblijven. Wil je toegroeien naar een Ajax-cultuur, dan zou dat bij Strategie bijvoorbeeld aanvallend of pressie kunnen zijn. Pas op dat het geen exercitie neerlandistiek voor juristen wordt, het mogen best wat vage termen zijn als we met elkaar maar zo'n beetje hetzelfde onder de woorden verstaan.

Als iedereen tevreden is met de teneur van de woorden, vraag dan elk der deelnemers om op een velletje papier vijf punten te verdelen over de zeven S-en, met als criterium: waar moeten we de grootste inspanning leveren om het einddoel te verwerkelijken? Alle punten mogen naar een enkele S gaan of ze mogen worden gespreid. Turf de uitkomsten op een flipchart of een overheadsheet en je hebt met elkaar een redelijk inzicht van de richting en omvang van de uitdaging waarvoor je je als groep gesteld ziet. En je zult vooral merken dat de zachte S-en, die veelal nauwelijks op het radarscherm van topmanagement verschijnen, hoog op de agenda moeten staan.

Ik weet het: je staat dan pas aan het begin van het veranderingsproces, maar je moet ergens beginnen. In het volgende hoofdstuk gaan we daar verder op in.

Laat ik deze tekst afsluiten met een hoogdravende beschrijving van journalist René Zwaap over de overgang van Cruijff naar de Rotterdamse club:

> In De Kuip speelde hij niet met mede-goden maar met mannen van vlees en bloed, feilbare stervelingen die zich bonkig door de modder een weg baanden in plaats van te zweven.

Puntiger is het onderscheid tussen de Ajax- en Feyenoord-culturen stellig nooit beschreven. Wie nu nog niet gelooft in het belang van het oplijnen van de zeven S-en, moet het zelf maar weten.

UITSPRAKEN

Wat was er verkeerd aan de penalty's van Frank de Boer in de EK halve finale Nederland-Italië op 29 juni 2000? 'Ze gingen er niet in.'

'Toen ik trainer was, vroegen keepers me regelmatig: "Als de bal naar de verre hoek gaat, wat doe ik dan?" Dan antwoordde ik: "Als de bal naar de verre hoek gaat, dan applaudisseer je."'

Zonder te kijken: 'Zijn techniek is niet goed.' Hoe weet je dat? 'Dat is duidelijk. Als hij de bal trapt, is het geluid verkeerd.'

Tegen sportjournalisten: 'Als jullie heel goed hadden kunnen voetballen, dan had je er nooit over hoeven te schrijven.'

'Bij AS Roma zal ik nooit kunnen werken. Daar ligt een sintelbaan rond het veld, dat is het ergste wat er is.'

'Hij heeft de klok horen luiden, maar weet niet hoe laat het is.' (Johan daarover: 'Dat is over komen waaien uit Spanje, van een of andere persconferentie. Toen was ik begonnen met dat spreekwoord... en ik weet niet in het Spaans wat een klepel is.')

DE FC CRUIJFF

'Goede' visies springen eruit, omdat ze een vonk laten overspringen van leiders op volgers. De twee vereisten daartoe zijn een gedeelde richting en een wederzijds vertrouwen van alle betrokkenen. Ik heb dat zelden beter geïllustreerd gezien dan door het – mislukte – initiatief rond de FC Cruijff. Er is daarover een hoop folklore ontstaan, die het zicht belemmert. Hoe zat het echt en wat kun je ervan leren?

In februari 1988 belde Cruijff mijn collega Mickey Huibregtsen en mij met de vraag of hij een keer met Tonnie Bruins Slot langs kon komen. Ik kende hem van het interview dat wij deden en dat de basis vormt voor dit boek. Later had hij samen met Ruud Lubbers de eerste exemplaren van mijn boek *Speel nooit een uitwedstrijd* in ontvangst genomen.

Johan en Tonnie ontvouwden een visie die in haar eenvoud en directheid zo aansprekend was, dat Mickey en ik – beiden veel gewend in bedrijfsleven en politiek – met onze oren klapperden. Wat zij voorstelden heet in modern managementjargon een partnership, maar er is een veel mooier Nederlands woord dat beter de essentie omschrijft: maatschap.

Het gaat om mensen die om een bepaald doel te bereiken elkaars hand willen vasthouden, omdat ze weten dat ze met elkaar meer kunnen dan alleen. Maten moeten dezelfde kant op willen en bovendien bereid zijn een ander overeind te helpen als die mocht uitglijden of de bal af te spelen als die ander er beter voorstaat. De beoogde maten – dat wil zeggen de meest belanghebbenden – waren in de visie van Johan en Tonnie, naast het publiek, de spelers en – zolang het jonge spelers in opleiding betrof – de ouders van die spelers. Als die partijen elkaar uiteindelijk allemaal hadden gevonden, zouden dan ook de financiers tot grote tevredenheid worden gestemd.

Om die maatschap tot leven te brengen moet de leider tegelijk werken aan inhoud en proces, met andere woorden: aan de overeenstemming over de richting die je met elkaar uit wilt en de mate van onderling vertrouwen, wat je van elkaar kunt verwachten. Een eenvoudig raamwerk – een soort schaakbord voor beginners met maar vier velden – kan als kapstok dienen voor een beter begrip van de uitdaging. Verticaal staat dan de richting en horizontaal het onderling vertrouwen.

In het vakje linksonder is er weinig richting en weinig vertrouwen. Het is een soort pupillenvoetbal: ieder voor zich in een grote kluwen achter de bal aan. Echt opschieten doet het niet, maar je moet het voetballen ergens leren.

Linksboven is de richting gevonden, maar de spelers hebben elkaar nauwelijks nodig. Het is zogezegd straatvoetbal met allemaal pingelende solisten, die de sterren van hun eigen hemel proberen te schieten.

Rechtsonder staat het betere onderbondsvoetbal: mijn oude elftal Unitas Leiden 4, sterk in de kleedkamer en in de kantine, maar geen idee waar we op het veld mee bezig waren. Dat is op zich prima, zolang je de sport zuiver om de lol beoefent.

't Wordt anders als je topsport wilt bedrijven. Daarvoor moet je in het vakje rechtsboven zijn, waar je het woordje maatschap kunt plaatsen. Het netwerk van gelijken vormt dan een geïnspireerd team, omdat allen dezelfde richting uit gaan en bovendien bereid zijn elkaars hand vast te houden.

Als je dit prentje in gedachten neemt, wordt ook het verschil tussen leiders en managers duidelijk. Leiders laten een vonk overspringen en stoken een vuur op. Teken op mijn schaakbord een grote pijl van linksonder naar rechtsboven: dat beschrijft de taak van leiders. Maar zij kunnen niet zonder de managers, die daarna het vuur onderhouden en zorgen dat het schip op koers blijft. Teveel vlammen in teveel pannen is zelden goed en goede leiders zijn niet altijd goede managers.

Het ontwikkelen van een visie wordt, ook in politiek en bedrijfsleven, veelvuldig onderschat. Vele topteams proberen, al dan niet begeleid door hoogbetaalde goeroes, in een voedzaam weekeinde op de hei een visie op papier te zetten. Verder komt het echter veelal niet, meestal omdat er niet voldoende over is nagedacht en het noodzakelijke groeiproces is overgeslagen.

Laat ik daarom als illustratie de hoofdlijnen van de visie rond de FC Cruijff schetsen. Zo'n visie begint altijd met de beoogde maten: als die niet de vonk willen of kunnen oppakken, kun je het wel schudden. Ik zal dus de twee dimensies richting en vertrouwen oppakken, werkend van binnen naar buiten, beginnend met het publiek, waar het profvoetbal van Johan Cruijff uiteindelijk om gaat.

Geef richting aan

In augustus 1983 werd Cruijff gevraagd of het allemaal erg anders was na de beroemde overgang van Ajax naar Feyenoord. Zijn ongetwijfeld lachende antwoord was: 'Mijn totale levenspatroon is natuurlijk gewijzigd. Het begint al op 't moment dat ik hier de poort uitga. In plaats van rechtsaf, moet ik nu linksaf naar mijn werk.'

Als je geen richting bepaalt, zit je mogelijk al voor de deur op het verkeerde spoor. Leiders moeten voorgaan bij het aangeven van richting, want – het is mijn favoriete Cruijff-citaat – 'Ik heb een verschrikkelijke hekel aan iemand die beweegt, maar niet weet waar naartoe'. Ik heb het veelvuldig misbruikt om op cliënten in het bedrijfsleven of bij de overheid over te brengen dat het hebben van een visie en een daaruit afgeleide strategie geen luxe maar een noodzaak is.

De beoogde maten moeten op die richting kunnen tippelen. De financiers moesten bijvoorbeeld op de FC Cruijff kunnen verdienen, ik kom er later op terug. Dat zou echter alleen kunnen als het publiek tevreden zou zijn. De hoofdlijn van de visie was daarom sim-

OVER FANS

Op 28 september 1966 speelt Ajax tegen het Turkse Besiktas. Het is Johan's debuut in de Europacup. Vóór aanvang is er voor het eerst community singing in het Olympisch Stadion. De wedstrijd is een totale flop met één uitzondering: die avond wordt de Nederlandse cultuur verrijkt met de vijftigduizendstemmige versie van De Zilvervloot. Het vaderland is nooit meer hetzelfde geweest.

De Barcelona-ervaring was speciaal: 'Het is een uitdaging maar je weet dat als mensen je daar op zondag toejuichen als het goed gaat en je wint, dat het voor hen dan meer betekent dan gewoon een overwinning. Het is niet alleen een spelletje, voetbal, het gaat niet alleen om de mensen op de tribune.

(...) Weet je wat mij het meest opviel toen we kampioen werden? De mensen zeiden niet: "Gefeliciteerd" maar "Bedankt". Dat vond ik nogal wat. Dat zal me altijd bijblijven. Iedereen zei steeds maar "Bedankt", overal. We gingen een keer winkelen, ergens aan de Costa Brava en daar kwam een oude vrouw naar me toe, en ze zei steeds maar weer "Bedankt, bedankt". Dat maakte een enorme indruk op me.'

---

pel: 'Speel het spel zoals het gespeeld hoort te worden. Het voetbal is voor het publiek gemaakt. Aanvallen vindt men het leukst om te zien, dus moet je aanvallen.'

Het past in Johan's denken ook wonderschoon bij de instelling van de voetballers. 'De Nederlander wil aan de bal zijn. Daar moet je gebruik van maken zonder in roekeloosheid te vervallen.' Zijn aanvalsdrift kwam niet uit de lucht vallen. In dertig jaar interviews wijkt Cruijff geen enkele maal af van deze 'waarheid'. Bouwend op de ervaring van twee jaar als technisch directeur bij Ajax verbond hij er wel conclusies aan: 'Het zal best wel zo zijn dat Ajax een systeem hanteert dat tegen de ontwikkelingen van de laatste tien jaar indruist. Elk voordeel heeft zijn nadeel. Want als iedereen er zo over denkt en praat, is de tegenstander ook niet gewend een ploeg aan te treffen die met drie spitsen speelt.'

Spelers moeten binnen de maatschap willen meedenken: het is hún publiek. Professionals die hun vak serieus beoefenen, laten dat blijken: 'Als je ziet dat die spelers waardering hebben voor hun publiek – het klinkt een beetje afgezaagd, maar het is gewoon zo – en als het publiek waardering heeft voor al die gasten die op het veld lopen, dat is toch alleen maar fantastisch om te zien.'

Binnen een maatschap komt de liefde van twee kanten, er is in de visie van Cruijff niets vrijblijvends aan. De fans mogen inzet verwachten van de spelers: 'Je kan nooit verslappen. Je moet altijd blijven gaan en gaan.' De spelers mogen echter andersom ook kunnen rekenen op hun maten: 'Als het tegenzit, worden ze stil. Dat vind ik fout.'

De toppers in zijn teams konden zich herkennen in de nadruk op het publiek en gingen hun medespelers daarin voor. Luister bijvoorbeeld naar Arnold Mühren: 'Hij weet waar hij over praat, hij heeft een visie waar hij achter staat. Hij wil aanvallend voetbal spelen, omdat hij aan de mensen op de tribune denkt, die een leuke wedstrijd willen zien en ook omdat hij zelf voetballiefhebber is. En dat moet je zeer in hem waarderen.' Ronald Koeman vult het commentaar van Mühren aan: 'Wat Cruijff als trainer zo uniek maakt, is dat hij een unieke visie op voetbal heeft, ondanks de kleine concessies die hij soms doet. Er is geen trainer die met zoveel risico's speelt en je mag toch gerust stellen dat die speelwijze al heel wat successen heeft opgeleverd.' Het zijn geen loze woorden maar ze werden op het veld ingevuld: 'Johan doet vaak precies het tegenovergestelde wat andere trainers zouden doen. Waar anderen een extra verdediger in een bepaalde situatie zouden inzetten, daar stuurt hij er een extra aanvaller in. Of hij zet een linksbuiten doodgemoedereerd tegen een aanvallende middenvelder, zoals Beguiristain thuis tegen Juventus tegen Hässler. Negen van de tien trainers zouden een back opstellen tegen Hässler. Nu zag je dat Hässler verdedigend toch in de problemen kwam. En zo zijn er duizenden voorbeelden van verrassende ingrepen van Cruijff.'

Maar – het is een absolute essentie in de visie achter de FC Cruijff – niet alleen het publiek en de toppers zouden op de banken gaan staan voor het risicovolle aanvalsspel. Dat zou zeker ook het jong talent van Nederland doen, dat zichzelf in het volle licht van de schijnwerpers doelpunten zag maken. Er zijn nu eenmaal weinig toppers-in-spé die reeds op veertienjarige leeftijd dromen van een toekomst als mandekker. 'De basis van ons succes is de aanval,' zoals Cruijff het uitdrukte en dat gold speciaal de wervingskracht op de jeugd. Johan ging ervan uit dat zijn naam een enorme aantrekkingskracht op toptalent zou uitoefenen. Ook Tonnie's rol was daarbij belangrijk: 'Tonnie Bruins Slot heeft kwaliteiten die ik mis, hij kan perfect analyses maken en heeft een neus voor talent. Hij was zijn gewicht in goud waard bij Ajax, zoveel spelers heeft hij ontdekt.' Johan en Tonnie hadden bovendien een aantal gedachten uitgewerkt over een werkelijke voetbalschool, die bouwde op de ervaring van Ajax: 'Van de jongste pupillen tot het eerste elftal spelen alle teams hetzelfde bij Ajax. Daar gaat het om. Die dingen zijn van wezenlijk belang. Daar moet een lijn in zitten.'

Dat op zich kon echter niet voldoende zijn. Het professionele voetbal is een hard beroep, Rik Planting geeft in zijn boek *Leerschool Ajax* daarvan een aantal navrante illustraties. Slechts een klein aantal spelers haalt de top en veruit het grootste deel valt in een harde concurrentiestrijd af. Bedenk daarbij dat de meeste voetbaltalentjes een bijzonder probleem delen: ze hebben niet veel met school en willen veel liever voetballen. Een speler als Dennis Bergkamp vormt met zijn voltooide VWO-opleiding een uitzondering. Keje Molenaar en Graeme Rutjes studeerden zelfs af aan de universiteit, maar het feit dat je de namen van spelers uit een relatief zo ver verleden kunt noemen, is tekenend.

Voor de meesten lag dat anders. Cruijff, met een pak persoonlijke ervaring: 'Ze moeten aan het begin vaak ingaan tegen ouders, voor studeren of sporten. We weten dat negenennegentig procent het niet haalt. We weten ook dat het met achtentwintig jaar, bij welke sport dan ook, afgelopen is. Ben je oud voor de sport, maar jong voor het leven, laten we het zo maar noemen. Een tweede trein pakken is heel moeilijk, die is er meestal niet.' Veel ouders zijn doordrongen van de kwetsbaarheid van de toekomstplannen van hun kroost. De voetbalschool zou daarom een eenvoudige waarborg dienen te bieden aan de ouders: wij begeleiden jullie zoon, zodat hij aan het slot naast een voetbalbrevet ook een ander zinvol diploma in handen heeft. Met de bijbehorende waarschuwing aan de zoons: wie niet leert, wordt niet opgesteld.

Dat gezegd zijnde, bood de opzet zowel zoons als ouders een spannende uitdaging. Rik Planting presenteerde een aantal getallen, die een inzicht bieden in de kwaliteit van de Ajax-opleiding, zoals die zelfs zonder de vervolmaking van de school van Johan en Tonnie inhoud kreeg:

Ajax speelde sinds 1969 negen grote finales voor een Europacup. Het percentage 'eigen' spelers lag telkens rond de zestig. Ter vergelijking: van de PSV-selectie die in 1988 de Europacup I won, was nog geen derde deel door de club opgeleid; van de spelers die op het veld stonden slechts één. In seizoen 1980/81 speelden twintig voormalige Ajacieden bij andere Nederlandse profclubs; in 2000/01 waren dat er bijna zestig. Ter vergelijking: tweeëndertig spelers hadden hun opleiding bij Feyenoord gekregen, dertig bij PSV. Van de vijfentachtig Nederlandse spelers die in seizoen 2000/01 bij clubs elders in Europa onder contract stonden, hebben er eenentwintig op de Ajax-school gezeten, vier van hen zijn afkomstig van Feyenoord en drie van PSV.

De visie van de FC Cruijff bouwde op dit soort statistiek. Jonge spelers werden met, zeg, veertien jaar aangetrokken in de verwachting dat een aantal van hen – bijvoorbeeld vier per jaargang – met hun twintigste in het eerste elftal van de FC Cruijff zou staan. De anderen zouden worden bemiddeld naar een passende plaats bij andere clubs of elders, buiten het voetbal. Twee van die vier uit het eerste elftal zouden met hun tweeëntwintigste in het Nederlands elftal spelen en op hun vierentwintigste voor serieus geld worden verkocht naar Zuid-Europa. Ook daaraan lag in die dagen, voordat het beroemde Bosman-arrest de hele transfermarkt op zijn kop zette, al een ervaringsfilosofie ten grondslag die door weinig andere clubbestuurderen werd gedeeld.

Cruijff beschouwde het als een gegeven dat een andere club een heel begaafde speler als Van Basten zou kopen. 'Met onze belastingfaciliteiten is er niets dat wij kunnen doen om zulke mensen vast te houden. Dat zijn de basisfeiten waarmee we werken.' Hij kon het weten, want een aantal jaren eerder was hijzelf met het dilemma geconfronteerd. Oud-voorzitter Jaap van Praag herinnert zich: 'Ik weet nog goed dat Cruijff me opbelde met de vraag wat zijn transferbedrag moest zijn. Toen wist ik al dat hij voor Ajax niet meer te behouden was.' Je kunt proberen ze vast te houden, maar dat is bij toppers weinig zinvol. Van Praag weer: 'Met pijn moest ik hem laten vertrekken naar Barcelona. Kijk, Cruijff was een speler die een bal precies op maat kon aangeven, maar dus ook iemand die wanneer hij wilde elke bal een halve meter te kort kon spelen. Aan zo'n voetballer heb je op dat moment niets meer, die moet je zijn vrijheid gunnen.'

Het is daarom veel beter van je zwakte een sterkte te maken of – daar gaan we weer – van je nadeel een voordeel. Een club met een ijzersterke jeugdopleiding moet structureel bereid zijn heel goede spelers te laten gaan en dat zelfs stimuleren. Uit de opbrengsten van die transfers zou – en we maken nu de overgang naar de laatste groep belanghebbenden: de financiers – in principe het hele systeem in belangrijke mate financieel kunnen rondkomen.

Alweer was er een ervaringsbasis die liet zien dat de relatieve waarde – zeg maar: de prijs/kostenverhouding – het gunstigst was voor spelers jonger dan twintig en ouder dan achtentwintig. Daartussen waren ze plat gezegd te duur. Je kon ze nog een korte periode vasthouden met behulp van een langjarig contract, waarbij degenen die alsnog afvielen te hoog werden betaald en de doorgroeiers achteraf bezien te laag, maar dat laatste werd ook vanuit hun perspectief afdoende gecorrigeerd door de transfer naar het buitenland.

Er was een tweede geldstroom, die van de sponsoren. Johan ging daarbij uit van een alweer ongekende emancipatie van de sporters. 'Sportmensen worden nooit op basis van gelijkheid behandeld. Er wordt altijd maar gedaan alsof het bedrijfsleven de sporters sponsort, maar de zaken moeten omgedraaid worden: het bedrijfsleven heeft de sporters nodig om zijn boodschap uit te dragen.' In direct vervolg op hun doelgroep, het publiek in het stadion maar vooral voor de televisie, zouden ook zij worden aangetrokken door de combinatie van jeugd en aanvallen.

Uitgaande van deze principes hebben wij gevieren elkaar, met inschakeling ook van een aantal topadviseurs op verschillende vakgebieden, een aantal malen aangekeken en de hoofdlijnen van een businessplan met bijbehorende begroting opgesteld. Het uitgangspunt was om in het eerste jaar een goede ploeg in het veld te brengen, die in staat werd geacht onder Johan's leiding bij de eerste vier van Nederland te eindigen. Daardoor zou het jaar daarna Europees worden gevoetbald, waardoor met een ruimere begroting weer betere spelers konden worden aangetrokken. Ondertussen kon de voetbalschool worden opgestart, zodat tegen het vierde of vijfde jaar de FC Cruijff op volle toeren kon draaien.

Werk aan wisselwerking

De leider moet een verhaal vertellen dat de beoogde maten kan inspireren. De inhoud is dus van groot belang. Maar van misschien wel even groot belang is de wijze waarop hij het vertelt en de manier waarop de beoogde maten bij de invulling van het verhaal worden betrokken. Je moet als leider dat verhaal duizend maal willen vertellen, maar steeds toegesneden op specifieke situaties en specifieke mensen. Management-by-speech noemden wij dat met een knipoog op VROM.

Een ding was vanaf het eerste moment duidelijk bij de FC Cruijff: we hadden op dit gebied met Johan een absoluut kanon in huis: 'Praten..., als ik alles zo zou kunnen als praten...' Stapelgek werden ze, de spelers, van de steeds herhaalde verhalen over positiespel. De minuscule details, de voortdurende illustraties op en rond het veld. Urenlang 'je gelijk halen', zoals het vaak werd ervaren. De klaagzangen zijn eindeloos. Totdat het verhaal tot leven kwam, omdat de spelers het begrepen, het hadden 'verinnerlijkt', om het mooi te zeggen. John van 't Schip legt uit: 'In het eerste half jaar heeft-ie alleen maar geroepen "bal voor de man spelen". Op een gegeven moment hoorde je een stemmetje in je hoofd steeds maar dat zinnetje herhalen. Dat zag je bij alle spelers gebeuren. Zo ontstaat een gezamenlijke visie.'

Die visie werkt, omdat de individuele spelers er zelf op hun plaats met hun mogelijkheden en ambities een eigen invulling aan konden geven. Want als Johan één tegelwijsheid heeft geuit die ons Nederlanders kan verenigen, dan is het deze: 'Iedereen wil altijd een leider hebben, maar als de leider een dictator is, dan heb je het ook niet zo erg naar je zin.'

Het originele verhaal hoeft niet scherp omlijnd te zijn, maar de beoogde maten moeten wel dezelfde visie op het netvlies hebben. Veldslagen heb ik gevoerd met toppers bij overheid en bedrijfsleven over de vraag of je zo'n visie precies op papier moest zetten, zodat er een keurig 'mission statement' aan de muur kon hangen waaraan iedereen houvast had. Ik houd er niet van: het is mij allemaal te klinisch, te juridisch en te formalistisch, te weinig van emoties doortrokken. Een visie heeft een eenvoudige vlag nodig, die voor de maten de lading dekt. Michels geeft bijvoorbeeld de pers de eer voor de term totaalvoetbal: 'Die heeft die uitdrukking bedacht, maar ik moet zeggen dat het de ontwikkeling van ons spel, onze stijl van spelen, vrij aardig dekte.' Zoals FC Cruijff de naam was die ons voldoende houvast bood om te weten waar we het samen, met Cruijff als centrale persoon, over hadden. Ongetwijfeld was het nooit de naam van een werkelijke club geworden.

Maar zelfs met een passende slogan is alleen een verhaal echter niet voldoende om in het vakje rechtsboven op het schaakbord voor beginners te belanden. Binnen een geïnspireerde maatschap moeten de maten ook bereid zijn elkaars hand vast te houden. Het publiek moet willen zingen en de spelers moeten willen voetballen zoals in dat mooie clublied van Feyenoord: 'Hand in hand, kameraden/ Hand in hand voor Feyenoord 1/Geen woorden maar daden/Leve Feyenoord 1.'

Dat is verre van vanzelfsprekend. Het ontwikkelen van een visie is immers meestal een modderig proces van vallen en opstaan.

Succesvolle visies zijn vaak een stuk duidelijker tegen de tijd dat mensen hun memoires schrijven. De mislukkingen komen daar zelden in voor. In een sceptische omgeving blijft er daarom na, zeg, een vierde flop niet veel over van je zelfvertrouwen. Bovendien is de wereld groot en de individuele leider klein. Met een mitrailleur kan een leider beoogde volgelingen wellicht tot versnelde inkeer brengen, maar een dergelijke vorm van maatschap beklijft zelden. Moet je het hebben van inspiratie, dan is het zaak je te omringen met een aantal andere voortrekkers die in een soort naïef optimisme de toekomst tegemoet treden.

Dat naïeve optimisme moet hen ook dragen bij het ruimen van drempels. Als je alle redenen waarom een initiatief kan falen op een rijtje zou zetten, begon je er niet meer aan. Tijdens een zware vergadering zei een oud-parachutist ooit: 'Als je in een moeras wordt gedropt, moet je altijd eerst de grootste krokodillen doodschieten. De andere op grotere afstand lijken een stuk kleiner.' Knock 'em off one at a time, zoals de Amerikanen het zo plastisch uitdrukken.

Cruijff had daarbij het voordeel dat hij kon bouwen op het zelfvertrouwen van een positieve ervaring. Zijn analyse van de omslag die Ajax onder zijn leiding in twee jaar tijd had gerealiseerd: 'Ik hield vast aan een concept, hoewel ik de uitkomst ervan ook niet kende. Natuurlijk voel ik de opmars van het huidige Ajax ook als een persoonlijk succes. Gebleken is dat ik goed heb getaxeerd wat eraan mankeerde. Op voorhand, en dat is veel moeilijker dan praten achteraf.'

Je kunt niet volstaan met een vluggertje: zowel richting als vertrouwen moeten de tijd hebben om zich uit te kristalliseren. Het is wellicht een van de grootste lessen op het gebied van leiderschap die zeker in de politiek, met zijn te frequente wisselingen van voorlieden, maar ook in de steeds jachtiger ondernemingswereld onvoldoende wordt begrepen. Johan prijst zich gelukkig: 'Ik heb er de tijd voor gekregen, misschien omdat ik Cruijff heette. Was ik een ander geweest, dan had ik die gok niet kunnen nemen. Maar ik ben die ander niet, ik ben toevallig Cruijff.' En dat kan tot schade van veel van hun organisaties niet iedereen zeggen.

Een kleine kerngroep – ik vermoed maximaal twaalf mensen – moet dus als trekker willen fungeren. De leider moet daarbinnen zijn beperkingen kennen en zorgen dat de gaten in zijn repertoire adequaat door anderen worden gedicht. Het is een terugkerend thema bij Johan, dat te weinig is doorgedrongen in de machorangen van sommige organisaties:

> 'Rijkaard – en dat vind ik het mooiste namelijk van hem en daar kan je dus echt de groten uit halen – is echt niet te groot om hulp te vragen van een Tonnie Bruins Slot, of van een Menzo of van wie dan ook. Ze weten dat kleine steentjes bijdragen dus als je aan het eind van de rit wat wint, hebben al die gasten dat stukje bijgedragen dat je net nodig hebt.
> Dan ben je alleen maar groot als je dat kan. Dan moet je niet zeggen: "Ja, maar ik ben de baas en dan neem ik mensen die minder weten dan ik", nee, juist niet. Ik ben verantwoordelijk en ik neem mensen die meer weten dan ik van een bepaald onderdeel. Dat ik de leiding heb, dat is duidelijk. Maar wel dat iedereen op zijn onderdeel heel goed is.'

De leden van de kerngroep moeten onvoorwaardelijk op dezelfde golflengte zitten. Zoals Cruijff het zegt: 'De mensen in mijn team moet ik kunnen vertrouwen en ze moeten kritisch zijn, aan slijmerds heb ik niets.' En ze moeten hun vak beheersen – techniek, discipline en karakter, u kent ze nog.

De leider moet daarbij zijn eigen beperkingen onderkennen en bouwen op de deskundigheid van de anderen. Looptraining is bijvoorbeeld zijn fort niet: 'Ik neem dus de beste conditietrainer die er is, in mijn ogen dan. Ik zeg: je mag doen en laten wat je wil, vraag me nooit wat. Ik kan wel zien of iemand wel of geen conditie heeft. Als jij nu zorgt dat ze conditie hebben, ben ik tevreden. Als ze geen conditie hebben, ga jij eruit, neem ik een ander. Zo is het simpeler en 't kan ook niet anders.'

De kerngroep moet bereid zijn om over een langere periode de kar te trekken. Terugkijkend op de lancering van het totaalvoetbal onder Rinus Michels schatte Johan in 'een jaartje of vier', maar een minimum van anderhalf jaar moet je zeker rekenen. Als er ook in de frontlijn voldoende draagvlak ontstaat, mag je hopen dat het mogelijk is een cultuuromslag te verwerkelijken. Vooral als de S-en op het veld een fundamenteel andere kant op moeten worden gericht, is dat fenomenaal moeilijk.

Hoe groter het eerdere succes, hoe moeilijker bovendien de verandering. Je vraagt per slot van rekening dat mensen hun succesformule, waarmee ze groot zijn geworden, laten varen voor een onzekere toekomst waarbinnen misschien zelfs geen plaats voor ze is. Marco van Basten en Ruud Gullit stuitten bijvoorbeeld op een muur van behoudzucht, toen zij in 1991 bij wereldkampioen AC Milan naar een meer aanvallende 'Ajax-cultuur' toe wilden. Van Basten: 'Ruud en ik zijn de enigen in de selectie, die bepaalde zaken bespreekbaar willen maken. Ruud komt alleen niet naar buiten met zijn mening, maar houdt het binnenskamers.' Dat plaatste hem voor een lastig probleem: 'Voor mij is het heel moeilijk anderen mee te krijgen. Als spits heb je in een Italiaans elftal ten hoogste nog steun van één andere aanvaller. De meerderheid van de ploeg bestaat uit verdedigers en verdedigende middenvelders.'

Hoe bouw je naar deze cultuuromslag toe? Eerder, bij de bespreking van het belang van teamdiscipline, hadden we het over de vertrouwenstrap. Zowel aan de basis als op elk van de treden gaat er volgens Johan Cruijff iets fundamenteel fout. 'Voetbal moet je doen, zoals dat op straat is ontstaan.' De basis wordt dicht bij huis gelegd in het straatvoetbal. Dat straatvoetbal is per definitie superaanvallend; de vliegende keep is ongetwijfeld uitgevonden omdat bijna geen enkel jongetje in de goal wilde staan. Vanuit dat straatvoetbal kun je spelers inspireren en vindt er een belangrijke voorselectie plaats, waarbij de mindere talenten hun sportieve carrière vervolgen binnen het pretvoetbal van de onderbonden. Dat basisniveau is echter verzwakt door onze steeds drukkere en onveiligere straten: 'Toen wij vroeger begonnen te voetballen, hadden we de straat en die is er nu niet meer. We hadden geen opleiding en die is er nu wel.'

De jeugdopleiding van voetbalclubs neemt op een steeds jongere leeftijd het leerproces over. Je wordt echter niet blij van wat je daar ziet op de eerste trede van de vertrouwensladder. In plaats van de techniek van het vak over te brengen, is de opleiding te schools en wordt het accent te veel gelegd op systemen en methoden en te weinig op creativiteit en ondernemingszin. Jeugdig talent wordt niet geïnspireerd, maar veeleer gedemotiveerd. Cruijf komt tot een fraai verwoorde maar sombere conclusie: 'We slachten onze gouden kip.' De oorzaak is vooral gelegen in 'foute' opleiders. In een felle waterval van woorden spuit hij zijn gal: 'Vandaag de dag hebben zelfs de trainers van de allerkleinsten ervoor geleerd. Maar ze zijn alleen maar trainer en vervullen geen voorbeeldfunctie. Ze kunnen je natuurlijk heel goed vertellen dat je een bepaalde bal met links moet schieten. Maar als ze het zelf niet voordoen, hoe moet je dan in vredesnaam met links leren schieten? Waar is het dan goed voor?' Het resultaat is desastreus. 'Als je het niet kunt, kun je het niet overbrengen. En dus ga je het over andere dingen hebben, die – hoe belangrijk ze ook mogen zijn – veel minder belangrijk zijn dan de techniek.'

Een stap hoger in de club, in de hogere jeugdselectie-elftallen, gaat het op de tweede trede van de vertrouwensladder om het aanleren van – zoals we het eerder noemden – een teamdiscipline. Volgens Cruijff is daarbij sprake van een soort collectief misverstand: trainers willen coaches zijn, waarbij het accent ligt op de prestatie, op het winnen; niet op de jeugd en de opleiding: 'Ik zie een groot verschil tussen trainers en coaches. Een coach is iemand die bij het eerste elftal hoort, die spelers coacht. En een trainer leidt spelers op. Ik vergelijk het wel met de bouw. Daar heb je timmerlieden en loodgieters en je noemt ze allebei bouwvakker, maar het is niet hetzelfde.' Mist die vakopleiding, dan wordt het nooit wat met de teamdiscipline.

En ten slotte op de hoogste trede – we hebben het dan over topvoetbal – verschuift het accent naar het elkaar blindelings kunnen vinden in hockeystickmanagement en het bijbehorende positiespel. Jonge spelers leren de fijne kneepjes van het meesterschap van toppers, of dat nu oudere medespelers zijn die als mentor fungeren of coaches. Het is de identificatie met rolvoorbeelden en leermeesters die de laatste vonk laat overspringen voor een maatschap op het hoogste niveau. En als die er zoals nu helaas te vaak niet zijn, door gebrek aan kwaliteit of een te grote doorstroming, mist ook essentiële inspiratie.

Met zoveel fouten op elkaar gestapeld mag je geen grote verwachtingen hebben. Johan zag daarom als zijn belangrijkste taak binnen de FC Cruijff het opleiden en begeleiden van de volgende generaties. Zoals trouwens de 'goede' toppers in het bedrijfsleven dat ook doen; het aantrekken en beter laten voetballen van aankomend talent is stellig de beste investering die een organisatie kan doen.

Misschien is de filosofie wel het mooist verwoord door Wayne Calloway, de vroegere bovenbaas van PepsiCo, die over zijn eigen

Cruijff moest als technisch directeur – 'da's eigenlijk een uitvinding van mij, want daar had je geen diploma's voor nodig' – opdraven bij een soort strafcommissie in Zeist, omdat hij als onbevoegde trainingen gegeven zou hebben. 'Ik zei: "Dat is helemaal niet waar. Ik heb aan de trainers verteld wat ze moesten doen en om het niet twee keer te vertellen, stonden die spelers erbij."'

Cruijff trad in 117 wedstrijden op als coach van Ajax, waarvan 74 procent werd gewonnen met een gemiddelde score 2,8-0,9. Dit vergelijkt positief met Rinus Michels (70 procent; 2,7-0,9) en Louis van Gaal (68 procent; 2,4-1,0) om over Ronald Koeman niet te spreken (tot seizoen 2003/04: 64 procent; 2,3-0,9). Toch werden veruit de beste resultaten behaald door de opvolger van Rinus Michels in 1971, Stefán Kovács (86 procent; 2,8-0,6).

---

bedrijf zei: 'We trekken adelaars aan en leren ze in formatie te vliegen.' Het is voor mij altijd een afschuwelijk dreigend beeld geweest met tegelijk een enorme aantrekkingskracht: de koningen van het luchtruim die zich gedisciplineerd storten op hun doel. Een cultuur van gebundelde aanvalsdrift.

In de visie van Johan en Tonnie gingen alle selectie-elftallen uit van hetzelfde concept en waren bij de opleiding de taken scherp verdeeld. De coaches zetten de lijnen uit, waarbinnen de trainers hun opleiding zouden geven. De trainer zegt: drie rondjes om het veld, en de coach let op de grote lijnen en benadrukt de minieme details, die in zijn visie het verschil tussen goed en fout uitmaken. Ronald Koeman heeft dat de volgende jaren van dichtbij geobserveerd: 'Cruijff was en is geen echte trainer. Hij loopt als het ware met de trainingen mee en hij doet natuurlijk de besprekingen. Tonnie Bruins Slot leidt de trainingen bij Barcelona meestal, hij legt de zaken uit en Cruijff loopt er tussendoor om voortdurend aanwijzingen te geven.'

Die trainers spelen in hun visie een sleutelrol en het moeten (oud)voetballers zijn: 'Ik blijf erbij dat de beste leerschool nog steeds de mondelinge overdracht en de overdracht van praktische kennis tussen spelers van verschillende leeftijden is. En het belangrijkste is dat deze kennis van speler op speler gaat, omdat voetballers dezelfde taal spreken en dus op dezelfde golflengte zitten en elkaar begrijpen. Als je niet de taal van je trainer spreekt, zul je hoogstwaarschijnlijk niks leren.'

Aan de basis moet de lol van het straatvoetbal terug in het spel: 'Je ziet bij de jeugd niet één buitenspeler die buitenom gaat en de bal voorzet. Hoe komt dat? Volgens mij doordat er veel dingen worden weggenomen. Tegen een speler van het eerste kun je zeggen: dat mag niet, of: hou dat in de gaten. Maar een jongetje van tien of twaalf moet je geen opdrachten geven.'

Op de eerste trede ligt het accent op de techniek: 'Als je een jongen traint en je kunt hem uitleggen hoe hij de bal moet raken, met welk deel van de voet, vanuit welke positie hij kan scoren, welke voorzorgsmaatregelen hij moet nemen als een tegenstander op hem afkomt, met welke omstandigheden hij rekening moet houden, hoe snel hij moet handelen, dan kan hij het later zelf uitproberen, nadoen, herhalen, verbeteren, leren, bijschaven, en uiteindelijk kan hij dan de verworven kennis aan zijn eigen persoonlijke manier van voetballen aanpassen.'

Op de tweede trede gaat het om de discipline. De trainers – in het normale leven het voortgezet en hoger onderwijs en in het bedrijfsleven de HRM-afdelingen – leggen daarvoor de basis, maar bij de hogere selectie-elftallen maken de coaches – de bazen – het idealiter af. Er is ook een steeds grotere rol weggelegd voor de meer ervaren collega's, die als mentoren fungeren voor het aankomend talent.

Ten slotte neemt de coach op de derde trede de directe verantwoordelijkheid over. Peter Boeve merkte aan den lijve hoe dat in z'n werk ging: 'Als je leergierig was, dan had je veel aan Johan. Dan sprak hij ook veel met je. Was je niet leergierig, dan probeerde hij het wel met je, maar als je hardleers bleef, dan was het op een gegeven moment voorgoed over. Hij zei ook altijd: "Als ik niet meer met je praat, dan zie ik het niet meer in je zitten."'

Het klinkt allemaal heel platvloers en logisch, dat doen 'normale' bedrijven ook, zou je verwachten. Maar je wilt ze de kost niet geven, de bazen die een 'bange' of in het geheel geen terugkoppeling geven om hun vingers niet te branden. Een goede pupil/mentorrelatie levert rendement op kritieke momenten, wanneer je een jongere speler moet vertellen dat het einde oefening is bijvoorbeeld. Daarvoor moet je in de relatie willen investeren wanneer het nog niet spannend is. Wie dat niet of onvoldoende doet, doet die ander en de eigen organisatie ernstig tekort.

Oefen maatschap

Cultuur is niet te stelen, ik zei het al eerder. Je trucs doen ze na, je opstelling wordt geanalyseerd in de maandagochtendkrant, je toppers kopen ze, maar je maatschapscultuur – met zeven opgelijnde S-en – is nauwelijks te kopiëren.

Cultuur is 'de manier waarop we met elkaar dingen doen', u weet het nog. Uitgaande van je visie op dit punt kies je je spelers en leid je ze op. Johan is ook nu nog geïrriteerd, als hem wordt gevraagd of hij zichzelf beschouwt als de beste voetballer van Nederland tot op dit moment: 'Het is allemaal zo overdreven. Beste voetballer? Ik denk dat de grootste waarde zowel van spelers als van trainers is, dat je iemand beter hebt kunnen laten spelen doordat je begrip had voor de situatie, begrip had voor de kwaliteiten.'

Het gaat er bij een teamsport niet om wie de beste speler is, zoals ook de uitverkiezing tot beste politicus of manager van het jaar geen zoden aan de dijk zet. Nog pas een paar jaar geleden werden respectievelijk VVD'er Hans Dijkstal en de toenmalige Ahold-topman Cees van der Hoeven gekroond met deze titels. Het is een vluchtige eer en hij doet er ook weinig toe. Het is altijd het team dat voorgaat en wie erin slaagt het beste uit dat team te halen, is een winnaar.

Johan zag als zijn belangrijkste taak binnen de FC Cruijff het opleiden en begeleiden van de volgende generaties. Als het team eenmaal draait, wordt het publiek enthousiast en daardoor de financiers zeer tevreden. Zowel toppers als jonge talenten met hun ouders ontlenen aan het succes ook een redelijke verwachting voor hun eigen carrières.

De FC Cruijff bleef steken in de fase van de visieontwikkeling, maar Cruijff heeft zowel daarvoor bij Ajax als daarna bij de FC Barcelona een tip van de sluier opgelicht van een 'management development' waarvan veel grote organisaties op onderdelen kunnen leren. Waarbij wel het uitgangspunt moet zijn dat zij topvoetbal willen spelen en niet tevreden zijn met het meehobbelen in de eerste divisie, laat staan de amateurafdelingen. Twee punten licht ik eruit.

Train op zwaktes. Keer op keer komt hij erop terug: 'Je hoeft niet te oefenen op de dingen waarin je al goed bent. De sterke punten zijn ook de leuke dingen om te doen. De onderdelen waaraan je een hekel hebt en waartoe je jezelf moet dwingen, zijn de dingen waarop je moet oefenen.'

Er zit wat in. Bijna iedereen die een bepaalde truc of techniek goed beheerst, heeft enorm veel lol om dat steeds weer te demonstreren en besteedt ook abnormaal veel tijd om deze sterkte verder aan te scherpen. Daar hoef je dus als coach niet veel aan te doen: 'Je moet alleen maar de zwakke punten verbeteren en dat doe je door ze fouten te laten maken en ze dan te helpen die te corrigeren.'

Ruud Krol herinnert zich: 'Toen ik naar Ajax kwam was ik puur rechtsbenig, maar Michels, de trainer, vond dat ik linksback moest spelen. Dus elke keer weer trainen op dat linkerbeen. Het was niet Michels die me prikkelde, maar vooral de groep, Sjakie Swart en Johan Cruijff voorop. Als ik mijn man had gepasseerd en de bal voor het doel had geschoten riepen ze: we waren al weer op de terugweg, want die bal kwam maar niet.' Krol dronk de beker leeg: 'Piet Keizer daagde me uit in onderlinge wedstrijdjes. Als specifieke linksbuiten mocht hij alleen maar met zijn rechterbeen schieten, en ik alleen met links. Wat een chagrijn leverde dat op, ik won vrijwel nooit. Bij Bobby Haarms heb ik toen extra trainingen gevraagd. Twee keer, op dinsdag en donderdag, oefeningen met links. Dat hielp.'

De leider heeft daarbij een verantwoordelijkheid: 'Je moet zien wat iemand kan en niet kan en daar moet je rekening mee houden,' zoals Johan concludeert. In de Ajax-leerschool mocht hij op de training altijd pingelen. 'Daar werd niks van gezegd, omdat ze wel wisten dat ik hem tijdens de wedstrijd wel afgaf. Maar later bij Michels kreeg ik wel op m'n donder als ik de looptraining niet deed. Als Neeskens die looptraining niet goed deed, werd er niks van gezegd, want iedereen wist dat Nees er zondag toch wel was. Maar Neeskens kreeg weer op z'n sodemieter als hij op de training liep te pingelen, snap je?' Vooral jonge spelers hebben daar een hekel aan maar je mag ze geen alternatief bieden: 'Stel wij hebben bijvoorbeeld vijf of zes begaafde jonge spelers. De manier waarop we uitleggen wat we van hen verwachten is als volgt: dingen doen waarin je goed bent is plezier, dingen doen waarin je niet goed bent is werk. Zoals ik het bekijk, is iets moois doen met de bal plezier. Als ik moet hardlopen, is het mijn werk.'

Jarenlang heb ik tussen de twintig en tachtig uur per week gewerkt. Het waren 'gevoelsuren': het leken er tachtig als het niet ging zoals ik wou, als er mensen op me leunden of als ik een hekel had aan een bepaalde klus. Het was dan een hard leven met veel te veel werk. Gelukkig waren mijn meeste werkweken extreem kort en vroeg ik mij blijmoedig af waarom mensen me zoveel geld wilden betalen voor dingen die zo leuk zijn.

Toch moet ik toegeven de grootste moeite te hebben gehad met deze stellingname van het versterken van zwakten. Supersterren zijn toch mensen die hun sterkten uitbuiten? 'Als je over een tennisser praat, heb je gelijk. Maar we praten over een team van elf spelers. Als je een Van Basten hebt, die vier goals maakt, en je hebt een blinde keeper, dan gaan er vijf in.' De techniek is op het topniveau waar we het over hebben een gegeven, maar aan de andere basisvaardigheden van een topvoetballer moet nog worden geschaafd: 'Als ik over de zwakste punten praat, dan bedoel ik – weer – discipline en karakter. Iedereen moet zijn werk doen en een zes halen. Daardoor krijg je vertrouwen binnen het team, je controleert de wedstrijd, dus de kans dat je een superster kan creëren wordt veel groter. Je moet altijd de zwakste punten afdekken, onderaan beginnend en vandaaruit naar boven werkend.' En, zichzelf herhalend als een gebarsten grammofoonplaat, volgt weer de nadruk op de overdracht van de oudere op de jongere generatie in een mentorsysteem waar weinig ondernemingen aan kunnen tippen: 'Dus als we praten, laat ik ze zien wat ze moeten doen en in technisch opzicht ben ik nog steeds beter. Maar ik vertel ze gelijkertijd dat met al mijn techniek ik niet meer kan spelen. Zo leren wij ze het: laat ze iemand zien die technisch beter is, maar die niet meer kan spelen.'

Bouw op sterkten. Cruijff laat er geen twijfel over bestaan: werken moet in de eerste plaats leuk zijn. 'Het voetbal heeft het optimale rendement op het moment dat je het met plezier doet, zonder angst, ga lekker voetballen.' Daaraan ontbreekt het vaak, mensen zitten onder te grote druk om te kunnen presteren. Het geval van de latere FC Barcelona-ster Josep Guardiola is illustratief:

> 'Dat lees je nu nog wel eens dat die Guardiola voor het eerst van zijn leven een finale speelde in de Europacup, jong jongetje. En dat je zegt: jongen, ga nou lekker uit.
> Je kan twee dingen doen. Je kan nerveus zijn, denken: wie zit er allemaal hier, en je speelt een slechte wedstrijd want daar kom je echt nooit onderuit. En misschien is het de enige keer dat je in die finale speelt. Of je gaat het veld op en je zegt: goh, jongens, we staan hier. Als ik met de beker eraf ga, heb ik het naar mijn zin. Zal ik mijn leven lang die vier jaar terug blijven draaien. Kan ik beter voor het tweede kiezen. Nogmaals, het is gewoon redenerend en goed gedacht. Dat wil niet zeggen dat je loopt te lapzwansen. Je moet alleen zorgen dat die spanning niet negatief begint te worden.'

Het deed me verschrikkelijk terugdenken aan de enige goede cursus, die ik ooit in 1978 volgde over spreken in het openbaar. De leermeesters zeiden ons: Je weet heel erg goed wat je niet kunt, want daarom ben je zo zenuwachtig. Maar daar word je niet voor betaald. Je wordt betaald voor wat je wel kunt. Dus waarom vergeet je niet, wat je niet kunt en doe je beter wat je wel kunt. Het was een gouden les. Tijdens de cursus mochten we alleen maar positief commentaar op elkaar geven: Je maakte daarstraks dat prachtige handgebaar, doe dat nog eens maar dan tien keer versterkt. Je zag mensen om je heen groeien. Nog steeds pas ik bij elk publiek optreden een aantal technieken toe die ik toen heb geleerd.

Maar, belangrijker, het versterk-je-sterkte werd een soort levensfilosofie. In het bedrijfsleven moet je niet te vaak vreemdgaan met je producten- en dienstenpakket, maar bouwen op je kracht. Je klanten herkennen je, je medewerkers zijn graag trots op het vakmanschap op 'hún' terrein. Met name overheidsbeleid is nog steeds te vaak gericht op 'zielige' punten en dat kan en moet vaak anders. In mijn kabinetsperiode vervingen we bijvoorbeeld het regionaal-economische beleid dat gericht was op Oost-Groningen en Zuid-Limburg door een groter accent op de mainports Rotterdam en Schiphol. Het milieubeleid bouwde via convenanten op het relatief grote vertrouwen tussen bedrijfsleven, overheid en milieubeweging.

Door beter te doen waar je goed in bent of kunt zijn, verleg je je grenzen en geniet je van steeds nieuwe ontdekkingen. Je gaat vooral ook merken dat je tot veel meer in staat bent dan je zelf voor mogelijk had gehouden. Waar het je aan ontbreekt is het zelfvertrouwen dat je krijgt door succesvolle ervaring. Een leider moet die potenties binnen zijn team onderkennen en daarop durven bouwen. Je hebt te maken met aankomend toptalent en dat zijn bijna zonder uitzondering 'insecure overachievers' die moeten presteren in het licht van schijnwerpers met duizenden ogen op zich gericht. Je moet jonge mensen daarom al heel vroeg in hun carrière vertrouwen geven en hen uitdagen om hun lat hoog te leggen.

Johan heeft een breed palet ontwikkeld, dat velen ook in het bedrijfsleven tot voorbeeld kan strekken. Na een slechte start van het seizoen '86/'87 liet Cruijff bijvoorbeeld tot ieders verbazing Rob Witschge en Aron Winter debuteren tegen PSV. Ajax won met 3-0, maar dat was minder belangrijk dan het feit dat hij 'twee onbekende jongetjes van negentien jaar' – ik citeer Johan – had ingezet.

OVER SCHEIDSRECHTERS

'Doe geen fluit in je mond als je loopt. Dan heb je altijd meer tijd om nog even na te denken voor je beslist.'

'Ik zeg alleen iets tegen de scheidsrechter, als hij iets verkeerd ziet of helemaal niet ziet.'

'Ik denk dat die niet zoveel toeliet, maar niet zoveel zag. Je kan moeilijk fluiten als je iets niet ziet.'

Speler Arnold Mühren daarover: 'Een andere coach had voor zekerheid gekozen en geprobeerd om in ieder geval niet te verliezen. ... Maar Johan deed precies het omgekeerde, ging aanvallender spelen dan ooit en zette een geweldig gedreven Aron Winter op Ruud Gullit, die geen moment in de wedstrijd kwam. Waar een ander voor zekerheid zou kiezen, gooide Johan er een stukje extra bluf over heen.'

Johan zelf was er duidelijk over: 'Stel je eens voor dat ik op dat moment angst had gehad, dat kan toch niet in mijn vak. Dan moet je er onmiddellijk mee stoppen.' Maar toch, je stelt Rob Witschge op als linksbuiten tegenover de beste rechtsback van Europa, Eric Gerets. Welke opdracht geef je hem dan? 'Ik heb hem alleen gezegd: je staat linksbuiten, je moet je rechtsback in de gaten houden en als je de bal hebt, moet je er voorbij. En ben je er voorbij, dan geef je een voorzet en ben je dicht bij de goal, dan moet je schieten. En voor de rest zoek je het maar uit en meer dan je best kan je niet doen.'

Frank Rijkaard herinnert zich ook het debuut van de zeventienjarige Dennis Bergkamp tegen het Zweedse Malmö: 'Dennis stond tegenover een linksback met honderdentwee interlands. Een gevierde vedette. Maar Cruijff zei in de bespreking tegen Dennis: "Jij speelt tegen een oude lul, hij kan niet draaien, hij kan niets." En wat gebeurde er? Dennis speelde die jongen helemaal kleurenblind.' Drie jaar later werd Bergkamp door Cruijff gezien als de opvolger van Marco van Basten. Het slachtoffer: 'Of dat extra druk op mij heeft gelegd? Absoluut niet. Ik weet dat er spelers zijn geweest die daar niet tegen kunnen, maar ik beschouwde het als een fantastisch compliment. Bovendien, Cruijff heeft toch altijd gelijk? Ik ben nuchter van karakter. Maar als Cruijff zegt dat ik een topvoetballer word, dan is dat ongetwijfeld zo.'

Toch past de leider een waarschuwend woord. Uitrekken, kansen geven en uitdagen: prima, maar overvraag die jonge mensen niet. Je moet, punt één, jonge mensen tegen zichzelf in bescherming nemen. Ajacied Pim van Dord herinnert zich hoe hij met een stoot cortisonen in zijn lijf vanwege een peesblessure werd opgesteld in een UEFA-cupwedstrijd: 'Spelers willen altijd voetballen – ik ook. Maar een trainer is er om te beoordelen of een speler zich inhoudt.' Na tien minuten knapte de pees en begon een uitzichtloze en uiteindelijk mislukte revalidatie: einde carrière.

Jonge mensen kunnen meestal veel meer dan ze zelf denken, maar er zijn – en dat is punt twee – grenzen die je als coach scherp in de gaten moet houden. Dat gebeurt vaak onvoldoende: 'Ik denk dat tussen voetbal en het bedrijfsleven weinig verschil is, plus dat de fouten die gemaakt worden dezelfde zijn.' Het is een ontnuchterende maar juiste conclusie: 'Als iemand een heel goede verkoper is, dan maken ze hem directeur-verkoper, en dan gooien ze hem in een kantoor. Als hij een goeie verkoper is, dan moet hij daar toch niet zitten. Hoe vaak gebeurt dat niet? De meeste mensen maken de meest stomme fouten.' De schade is vaak groot. Dat alles gezegd zijnde blijft de moraal: 'Ervaring is het herkennen van bepaalde situaties en omstandigheden in een vroeg stadium en dan de juiste beslissing nemen.' Dat geldt in het voetbal maar ook in het bedrijfsleven en bij de overheid. Iedereen wordt er beter van: de spelers die beter in hun vel zitten en de club die

OVER GELIJK HEBBEN

Ronald Koeman: 'Hij geeft na een wedstrijd ook wel eens toe dat hij beter een andere speler had kunnen opstellen. Hij heeft dus ook best z'n twijfels. Dat komt alleen niet zo vaak voor.'

Ben Wijnstekers: 'Je kon ook vaak met hem lachen, want hij wist alles beter. Hij wist in de kleedkamer zelfs te vertellen hoe je een flesje Spa moest drinken. Je moet eerst schudden, dan je duim op de bovenkant leggen en het water dan in je mond laten glijden. Dan zat er wat minder koolzuur in. Hij deed het voor, maar het mislukte volkomen, waarop Mario Been zei: "Nou, Johan, dat doe je goed, je kleren zitten helemaal onder." Maar Johan bleef volhouden dat het echt zo hoorde. Dat was Johan ten voeten uit.'

Tscheu-la Ling: 'Al ben je de beste voetballer aller tijden geweest, dat houdt nog niet in dat je kunt bepalen welk hotel het beste is en hoe je een horoscoop moet lezen. Dat laatste wist hij namelijk ook al beter, toen er eens een astroloog op bezoek kwam.'

Joop Hiele: 'Zo hadden we een paar woorden uit de dikke Van Dale gehaald en daar één woord van gemaakt. We bouwden een zin om dat woord heen en vroegen of iemand wist wat het betekende. Johan kende natuurlijk de betekenis van dat verzonnen woord. Daar genoot ik van.'

Richard Witschge: 'Hij had ook altijd gelijk. Als Cruijff over voetbal praatte, had hij van de honderd keer ook honderd keer gelijk. Als je met hem de discussie aanging, werd je altijd onder de tafel geluld.'

---

profiteert van de juistere beslissingen. Je kunt er bovendien aan werken en ook dat was een onderdeel van de visie achter de FC Cruijff.

Er is een derde les: als je als leider de goede mensen met de nodige sterkten niet in huis hebt, wees dan voorzichtig met overambitieuze visies. Johan sprak ooit over 'utopieën wie nooit gebeuren' en de FC Cruijff hoorde daartoe. Om de vereiste vliegende start te maken was een eredivisielicentie vereist. De naam van de FC Utrecht is daarbij in de media veelvuldig genoemd. Er moest echter een uitzicht bestaan op een elftal dat met grote waarschijnlijkheid tot de top vier zou behoren. Dat laatste bleek niet meer haalbaar in de tijd, die wij beschikbaar hadden. Te veel goede spelers lagen contractueel al 'vast'. De FC Cruijff is daarom nooit doorgegaan.

Wie zonder visie over een te bereiken einddoel en het bijbehorende proces op vakantie gaat, is met een goede kans bij het uitrijden van de poort al op de verkeerde weg. Hij is in ieder geval te zwaar of verkeerd bepakt. En bij de eerste splitsing in de weg is hij met vijftig procent zekerheid verdwaald.

Visie bindt alles samen, waarover we in eerdere hoofdstukken spraken. Zestien goede voetballers, die samen een team vormen waarbinnen de zeven S-en zijn opgelijnd. En toch wordt het zonder visie niks, in de voetbalsport en elders.

Het is de taak van de leider om die verwarmende visie te ontwikkelen en voor te leggen aan de beoogde maten. En ook hier heeft, zoals dat hoort, Johan Cruijff het laatste woord: 'Je kan beter ten onder gaan met je eigen visie dan met de visie van een ander.'

4

WAT IS HET VERSCHIL TUSSEN EEN GOEDE EN EEN SLECHTE COACH?

Eén vraag staat nog open: wat is het verschil tussen een goede en een slechte coach? Waarom hebben sommige mensen het wel en andere niet? Sommigen zijn echt, ik wees daar al op, en dat is stellig een vereiste. Maar het is niet genoeg. Er zijn heel echte mensen, die het volledig aan leiderschapskwaliteiten ontbreekt. Die – gelukkig – vaak ook geen enkele ambitie in die richting hebben. Er moet dus meer zijn. Johan is voorzichtig bij het beantwoorden van de vraag, maar als je goed luistert hoor je hoe een topper tegen de mensen om zich heen en tegen zichzelf 'onaardig' moet zijn – een positieve spanning moet creëren. Daardoor verbetert de bestuurlijke kwaliteit, kun je spelers scherp houden met behoud van een menselijke maat, en voorkom je vooral dat je zelf een onderdeel wordt van het probleem.

Ook stapels managementboeken richten zich op de persoonlijke kwaliteiten van de leider. Het is in mijn ervaring bijna allemaal slappe hap. Zo verschrikkelijk waar dat je er niet goed van wordt. Het boek *In Search of Excellence* van mijn toenmalige McKinsey-collega's Tom Peters en Bob Waterman vormt een uitzondering; het is dan ook het meest gelezen managementboek aller tijden. Ook zij schreven vooral over de 'zachte' dingen die het verschil maken, maar al in 1982 had Waterman mij gewaarschuwd. 'De meeste mensen begrijpen het niet,' zei hij. 'Als je wat over leiderschap wilt leren, moet je het niet vragen aan de leider, maar aan de mensen die die leiding in de praktijk ervaren. Die weten wat ze eraan hebben.'

Het slotwoord in dit boek komt dus toe aan degenen, die het leiden van Cruijff aan den lijve hebben ervaren. Aan het eind van de rit bepalen de 'geleiden' of het woordje met ei of ij wordt geschreven. Aan de hand van de criteria voor uitnemendheid uit *In Search of Excellence* oordelen de spelers, coaches en voorzitters: wat is het verschil tussen een goede en een slechte coach?

AARDIGE MENSEN EINDIGEN ONDERAAN

De Amerikaanse honkbalcoach Leo Durocher is beroemd gebleven door zijn uitspraak: 'Aardige mensen eindigen onderaan.' Tegelijk hanteert Johan Cruijff de stelregel: 'Ik hou van werken zolang het werken is waarvan ik hou' en dat kan alleen maar als je de mensen om je heen aardig vindt en zij ook jou waarderen.

Het is een steeds terugkerend dilemma waarmee alle leiders worstelen. Aan de ene kant wil je een vonk laten overspringen op de mensen om je heen door hun een verwarmende visie te schetsen, met een gezamenlijk einddoel en een zinvolle vertrouwensband. Aan de andere kant krijg je onvermijdelijk te maken met mensen die niet kunnen of willen meewerken binnen de gezamenlijke maatschap. Dat vereist hard ingrijpen, zeker als de mensen niet willen. Een maatschap kan niet het gewicht torsen van te veel afvalligen. Verstoren zij niet werkelijk de voortgang in de gewenste richting maar zitten zij als ballast op de bagagedrager van de organisatie, dan kan dat binnen grenzen nog acceptabel zijn. Proberen zij voor de wielen de voortgang te blokkeren, dan moet je het aandurven door te rijden.

Cruijff illustreert in woord en daad de drie terreinen waarop een leider bereid moet zijn om onaardig te worden gevonden: in de relatie met toezichthouders, zeg: de besturen van voetbalclubs of -bonden, ten opzichte van spelers en medewerkers, en vooral tegenover jezelf.

Verbeter de bestuurlijke kwaliteit

Je moet onaardig durven zijn. Het is een harde les, die de meesten van ons in de praktijk moeten leren. Bij Cruijff gebeurde dat bijvoorbeeld door de ruzie met Ajax-voorzitter Harmsen in 1987. Wat heeft hij daarvan geleerd? 'Dat je de dingen niet op zijn beloop moet laten. Dat je, als je hard in moet grijpen, het ook hard moet doen.'

Vaak laat je je weerhouden door een veelheid aan argumenten. Stel je uit, benoem je een commissie om alles nog eens nader te bekijken. Niemand is immuun voor kritiek, ook Johan niet: 'Over mij zeiden ze altijd: doordrijver, bemoeit zich te veel met alles. Dan ga je onbewust toch iets terugdraaien. Dat doe ik niet meer.'

Zelfvertrouwen is een schaars goed en je verkrijgt het vooral op de school-met-de-harde-lessen. 'Ik weet nu: als je gelijk hebt, moet je het ook nemen. Intern dan, naar buiten toe kun je het dan nog altijd anders verkopen. Als ik dat toen ook zo had geweten, was het allemaal anders gegaan. Dan was het of veel eerder geëxplodeerd of het was niet geëxplodeerd.'

Johan – 't is een zeldzaamheid en ik moet u waarschuwen – is erg negatief over de wisselwerking met toezichthouders. Het zou goed kunnen dat het topvoetbal er in vergelijking met het bedrijfsleven en de overheid op dit punt beroerd uitspringt. Maar dat laat onverlet dat waar het de 'begeleiders' van de leiders betreft, ook elders nog een oorlog is te winnen.

Als je toch iets van de Goede Sint vraagt om het coachen van voetbal op topniveau leuker te maken en je wilt Johan een lol doen, zet dan meer inspirerende en professionele bestuurders bovenaan je verlanglijstje, mensen met fatsoen en gezond verstand. En graag met een sprankje visie of het begrip om anderen de ruimte daartoe te laten: 'Ik was professional, maar moest altijd werken met mensen, die niets van mijn vak begrepen. Dat is het moeilijkste geweest. Steeds wist ik op tijd wat er diende te gebeuren, maar zij kwamen daar dan pas een jaar later achter.'

De citaten ritselen over de tafel: 'Mensen als hij worden geen voorzitter omdat ze van voetbal houden, ze worden voorzitter omdat ze van zichzelf houden.' Of: 'Want waarom zitten die gasten in een ...bestuur? Juist, om als de schijnwerpers aangaan daaronder te staan.' In eerlijkheid voel ik met Johan mee. In veel besturen kun je drie soorten mensen onderscheiden. Een deel is puur goed. Een deel is goed totdat de televisielampen aanfloepen en de camera's in de buurt komen. Dan slaan ze op tilt; hun ego struikelt over zichzelf. Het laatste deel bestaat uit goede mensen, die in de organisatie naar boven zijn geklommen door verdienste: wedstrijdsecretariaat, kantinebeheer, ledenadministratie. Wordt het spannend, dan zijn zij echter overvraagd.

Een organisatie wordt extreem kwetsbaar indien twee van de drie bestuurderen niet thuis geven – onvoldoende karakter hebben, zoals we het eerder noemden – op het moment dat je met tien minuten te spelen met 0-1 achterstaat. Dat is niet erg schadelijk als je onderbondsvoetbal speelt. Het gebeurt echter helaas te vaak op topniveau, ook buiten de sport. Steeds weer zorgen bijvoorbeeld de zogenoemde partijbaronnen – de voorzitters van de regionale afdelingen van politieke partijen – kort voor verkiezingen voor rotzooi. Bijna onveranderlijk kan een aantal de kaken niet op elkaar houden als hun een microfoon wordt voorgehouden. Zij spreken dan bovendien vaak machotaal: doen krasse uitspraken die zij zich jaren later nog met smaakvol detail herinneren als zijnde van grote dapperheid.

Maar ook elders is de bobo een gevreesd verschijnsel geworden. Het maatschappelijk middenveld, bijvoorbeeld op het gebied van de cultuur, ritselt van de ego's. Veel televisiespelletjes maar ook de glossy's bestaan bij de gratie van de aanwezigheid van poldersterren en grachtengordelaars. Toppers uit het bedrijfsleven laten vanaf de achterbank van hun auto's of de televisietafel van praatprogramma's hun heldere licht schijnen op wereldproblemen. Dat kan buitengewoon zinvol zijn, laten we er geen twijfel over hebben. Maar wellicht past hun en hun voorlichters soms toch enige terughoudendheid. Krasse standpunten moeten een doel dienen waarbij het zo gek nog niet is om uit te gaan van Johan's wijze raad: 'Als het slecht gaat, moet je de spelers uit de wind houden en ze de indruk geven dat alles weer snel in orde komt. Daarom heb ik meer behoefte aan interviews wanneer het slecht gaat dan wanneer het goed gaat. Gaat het goed, dan hoef ik niet zo nodig in de publiciteit te staan. Dan moet ik intern op z'n hoogst de boel temperen. Eigenlijk heb ik niets te zeggen als het goed gaat.'

Niet alleen het licht van de schijnwerpers maar steeds meer ook 'het Grote Geld' oefent een bijna magnetische aantrekkingskracht uit op minder wenselijke instromers van buiten de sport. Zoals Johan het bondig samenvatte: 'Daar waar veel geld is, zijn veel aasgieren te vinden.' Zijn uitleg over de voetballerij is ook daarbuiten herkenbaar: 'Wat erg van negatieve invloed is, is dat er enorm veel geld in om gaat. Zo trek je veel mensen aan die het makkelijk vinden om, zeg maar, in een paar jaar tijd heel veel geld te verdienen, maar voor de rest niets van binnenuit met die sport te maken hebben. Dat is eigenlijk de meest negatieve invloed op het voetbal geweest. Het betekent een gebrek aan kwaliteit.'

De vraagstelling wordt aangescherpt omdat de eisen aan de leiders steeds hoger worden. De pers is feller dan tevoren, het publiek minder bereid tot vergeving. Bovendien is verspreid over de hele maatschappij – in sport en bedrijfsleven, bij overheid, onderwijs en gezondheidszorg – sprake van schaalvergroting. Dat vergroot echter de bestuurlijke complexiteit en bemoeilijkt daardoor het vak van de leider.

Cruijff kreeg een voorproefje, omdat hij Ajax kon vergelijken met het veel grotere Barcelona. Hoe moeilijk is Barcelona in vergelijking met Ajax? 'Als je bij Ajax over tienduizend leden praat, praat je er hier over honderdduizend. Als je bij Ajax over zes bestuursleden praat, praat je er hier over vijfentwintig. Praat je bij Ajax over zes journalisten die zich dagelijks met de club bezighouden, hier heb je er dertig. Dus je moet twee keer zo attent zijn, twee keer zo grote oren hebben om alles te horen, twee keer zo grote ogen om alles te zien. Het spel is hetzelfde. Alleen zijn hier meer deelnemers.'

Twee keer zo attent, twee keer zo grote oren, twee keer zo grote ogen... Johan is in zijn uitlatingen zelden negatief, maar de uitzondering is als hij over voetbalbestuurders begint. Gooi er een pondje zout bij ter relativering en er blijft ruimschoots stof tot overdenking.

In de eerste plaats: **houd bestuurderen op de tribune**. Eerder in dit boek wees ik op de essentie van hockeystickmanagement, juist in een snel veranderende omgeving. De ogen moeten zien, de handen moeten handelen zonder tussenkomst van het hoofdkantoor, en dat moet allemaal bovendien zo snel gebeuren dat een stick die permanent omvalt, nooit omvalt. In managementjargon praat je over netwerkaansturing met een dominante horizontale dimensie. Binnen een maatschap vormen maten samenwerkingsnetwerken zoals spelers dat op een voetbalveld doen. Een coach langs de zijlijn kan roepen wat hij wil, maar de klus moet worden geklaard op de grasmat. Dat geldt in nog sterkere mate voor de bestuurders op de tribune.

Velen begrijpen dat niet. Vooral de Barcelona-teksten bieden daarvan glorieuze illustraties met een soms filosofische Cruijff in de hoofdrol; over voorzitters bijvoorbeeld: 'In het land der blinden is eenoog koning, maar hij blijft een eenoog.' Johan stelde bij zijn aantreden scherpe spelregels en dat gaf de nodige consternatie. Het bestuur moest de kleedkamer uit. 'Ik zei: jullie moeten je niet omkleden.'

Echter ook buiten het voetbal vereist de aansturing van individualisten – mondiger, hoger opgeleid, beter geïnformeerd – onvermijdelijk een 'terugtrekken' van klassieke verticale structuren en systemen. In het bedrijfsleven zie je dat doorwerken in een afbouw van centrale staven op hoofdkantoren en een grotere zelfstandigheid van zogenoemde business units. Kampioenen experimenteren met netwerkstructuren, die buitengewoon open staan voor samenwerking met zelfs concurrenten.

Bij de overheid en op het maatschappelijk middenveld is die slag nog bij lange na niet gemaakt. Nog steeds domineert de verticale dimensie van ons ambtelijk apparaat met zijn functioneel georganiseerde departementen. Nog steeds wordt het middenveld ook gekenmerkt door kolommen die 'Haags' beleid vertalen en opleggen aan het veld. Onderwijs, gezondheidszorg: je schrikt soms van de starheid van het polderoverleg.

Dat kan op termijn niet goed gaan. Als we willen dat er werkelijk goed wordt gevoetbald, moeten we de spelers op het veld een veel grotere ruimte bieden en hen ook verantwoordelijk maken, dus aanspreken op hun resultaten. En dat veranderingsproces begint met

Johan's eenvoudige levensles: de bestuurderen moeten op de tribune.

Er zijn andere punten, **smijt niet met geld** bijvoorbeeld. Het is een punt dat Johan Cruijff niet moeilijk valt: 'Ik geef nooit ergens graag geld aan uit. Dat zal wel een gierigheid zijn of zoiets, maar ik geef nooit met plezier geld uit.' Maar zijn bestuurlijke omgeving heeft er meer problemen mee. Kan het met transferbedragen bijvoorbeeld zo doorgaan? 'Nee. En het grootste probleem is niet de hoogte voor de beste, het grootste probleem van transferbedragen is de hoogte voor de middelmatige voetballer. Want er zijn nou eenmaal veel meer middelmatige voetballers dan goeie voetballers. Dat er voor eentje waanzinnig veel geld wordt betaald: ik praat het niet goed, maar het is niet zo bezwaarlijk als die honderd middelmatigen die een godsvermogen kosten.'

In het bedrijfsleven is het niet veel anders en het is moeilijk het juiste evenwicht te vinden. Alle kwaliteit heeft immers zijn prijs; zoals Johan het uitdrukte: 'Ik ben drie keer bij Ajax gekomen. Alle drie de keren kwam ik op een moment dat de kas leeg was en alle drie de keren ben ik vertrokken toen de kas vol was. Zo slecht ben ik dus geweest...' Je kunt daarom niet voor een dubbeltje op de eerste rang zitten, maar niet alleen in Spanje schieten vele bestuurders met spektakelaankopen hun doel voorbij met als resultaat soms vreemde uitwassen. Johan constateerde bijvoorbeeld lachend: 'Ik ben in de loop der jaren tot een nare conclusie gekomen. Wanneer je niet duur bent, heeft men ook geen vertrouwen in je. Goedkope trainers worden het eerste weggestuurd.'

Bestuurders willen te vaak ook opvallen door hun krachtdadig handelen. Met alle rumoer over prestigeprojecten bij de overheid – de Betuwelijn bijvoorbeeld – herkent u iets. Hoewel, als u toch bezig bent, mag in het bedrijfsleven uw favoriete overname of veiling niet

OVER SPAARZAAMHEID

Huisvriend Arend van der Wel: 'We gingen naar Artis, of naar 't strand. Schitterend, stond ik in een lange rij voor het loket om kaartjes te kopen, werd er gefloten, waren Henny en Johan al binnengeglipt... Henny en Johan maakten er een sport van om niet te betalen. We betalen ook niet in de tram, en ook niet in de bioscoop, zeiden ze dan trots.'

Barry Hulshoff reisde met Johan naar de trainingen van het Nederlands jeugdelftal: 'We hadden geen auto, dus gingen we met de trein, waarbij we nog wel eens zonder kaartje reisden, altijd op initiatief van Johan. Het was een soort sport, dat zwartrijden.'

Hugo Hovenkamp: 'Hij was een perfecte gozer voor de groep, want hij kwam altijd voor het groepsbelang op, ook in financieel opzicht. Natuurlijk werd hij er zelf ook beter van. Maar wij, de zogenaamde mindere spelers, deelden er volwaardig in mee. De WK-premies gingen bijvoorbeeld in één pot en werden gelijk onder iedereen verdeeld.'

Topjournalist en -presentator Joop van Tijn: 'Cruijff is heel vaak een geldwolf genoemd. Maar ik denk niet dat er één Nederlander is, inclusief alle voetballers en scheidsrechters en zeker inclusief alle politici en sterren, die zoveel aardige dingen voor niets hebben gedaan als Cruijff.'

---

ontbreken. Schijnwerpers zijn voor velen onweerstaanbaar en de glorie van machomanagement is verslavend. Maar hoeveel Nederlandse gemeenten betalen nu nog blijmoedig mee – onveranderlijk 'echt voor de laatste keer' – om de gaten te dekken die in de failliete boedel van de plaatselijke voetbalclub zijn gevallen? Zoals de overheid ook om politieke redenen vele malen heeft mogen bijspringen in het bedrijfsleven en dat ongetwijfeld, als puntje bij paaltje komt bij grote omvalpartijen, weer gaat doen.

Dan is er het punt: **durf naïef te zijn**. Veel mensen zijn te slim. Ze laten zich verleiden tot kortebaanschaatserij: een ander te vlug af zijn of ronduit bedonderen en morgen zien we dan wel verder. Het betaalt gelukkig meestal niet uit.

Eerlijkheid duurt het langst. We gaan terug naar Cruijff voor een inleiding: 'Eerlijkheid in betalen, wat houdt dat in? Hoeveel bestuursleden gaan niet ergens naar toe en zeggen: Nou, die hebben we te pakken voor weinig geld. In de kleedkamer wordt gesproken en die speler hoort binnen twee maanden dat hij gepiepeld is. Dat hij in de maling genomen is, dan heb ik een probleem in de kleedkamer.' Een beetje vergelijkbaar met politici of ondernemers die het slachtoffer zijn geworden van een vluggertje door een onderhandelingspartner. De vertrouwensrelatie is nooit meer te herstellen en als je verwacht ook in de toekomst met elkaar aan tafel te gaan zitten, verwordt goedkoop tot duurkoop.

'Vandaar dat mijn stelling – 't is een van de dingen die ik in Amerika geleerd heb – is: Ga rechtstreeks. Ik bied jou wat ik denk dat jij waard bent. Niet meer, en niet minder. Ik heb tegen spelers gezegd: Je kunt komen voor dat en dat. Bijna altijd dreigde er ruzie met het bestuur, want dat wilde minder betalen. Maar als je een begroting hebt van 100 miljoen en je wilt 10.000 gulden minder betalen. Waar prâát je dan over? Zulke fouten worden gemaakt.'

En als je toch bezig bent, bezie dan ook nog eens het premiestelsel, want – het lijkt wel of je het over de bonusregelingen in het bedrijfsleven hebt – daar is nog heel wat verbetering mogelijk. Cruijff zette al in 1968 vraagtekens bij de ontkoppeling van prestatie en beloning: 'Dat met die premies voor winnen, gelijkspelen of verliezen is een moeilijke toestand. De uitslag is vaak voor een groot deel afhankelijk van factoren die je als speler nauwelijks in de hand hebt. Je kunt slecht spelen en een fikse premie krijgen, want er is gewonnen. Je kunt heel goed spelen en een lage premie krijgen, want er is verloren.'

Als argeloze krantenlezer denk je: hij heeft het over de optieregelingen in het bedrijfsleven waar velen zeer vermogend werden door de beurshausse ten tijde van de e-ballon. Toen die knapte, werd al snel de sprong gemaakt naar bonusregelingen die alweer vaak een beperkt verband hadden met de werkelijke prestaties van het bedrijf. En nog veel minder met die van de ontvanger zelf. Cruijff kwam al ruim dertig jaar geleden met de oplossing die in de top van veel ondernemingen nog moet doordringen: 'Weet je wat ik zou willen? Ik zou willen dat er premies kwamen voor goed spel. Onafhankelijk van de uitslag van de wedstrijd.'

Het is niet eenvoudig om prestaties te beoordelen. Ook in het bedrijfsleven wordt daarom nog vaak gewerkt met prikklokken of stukloon; kwantiteit is beter meetbaar dan kwaliteit. Aan de andere kant verdienen hoogbetaalde managers hun geld door het beter ondersteunen van hun medewerkers, waardoor die op hun beurt de kwaliteit van het product of de dienstverlening kunnen verbeteren of de kosten beter in de hand kunnen houden. Die betere prestaties zouden ze dan toch minstens moeten kunnen beoordelen. Het is misschien, als we toch bezig zijn, een goed idee als onze politici nog eens kijken naar de belastingregelingen van onze topvoetballers, die hun inkomsten mogen gladstrijken over een periode van jaren waardoor ze minder zwaar belast worden in hun piekperiode. Zou dat niet wat zijn voor topondernemers, onder voorwaarde dat dan wel gelijktijdig de belachelijke goudgerande afvloeiingsregelingen verdwijnen?

't Is tijd voor een tussensamenvatting. Ooit antwoordde Johan op de vraag wat hij zou doen als voorzitter van FC Barcelona met de hartenkreet: 'Naar me luisteren.' Het is zo gek nog niet als je hockeystickmanagement serieus neemt. Wanneer je als leider je eigen organisatie een Grote Dienst wilt bewijzen, zorg er dan voor dat de bestuurlijke kwaliteit verbetert. De drieslag daartoe is simpel: houd bestuurderen op de tribune, smijt niet met geld en durf naïef te zijn. Het slagveld overziend rest echter tegelijkertijd slechts één conclusie: het zal nooit wat worden tussen Johan Cruijff en de bobo. Weer zo'n geval van voorkomen is beter dan genezen.

Behoud de menselijke maat

'Ik ben grootgebracht met het principe: eerst werken, dan verdienen.' Dat presteren gaat altijd in concurrentie met anderen en dat voegt een element van hardheid toe. Het zal wel de reden zijn dat Cruijff het zo goed kon vinden met Johan Neeskens, de bron van de voetbalwijsheid: 'Als iemand mij passeert, gaat-ie er eigenlijk met een stuk van mijn salaris vandoor.'

Je bent echter als coach of topspeler ook afhankelijk van anderen; als je maten niet presteren, wordt het met jou ook nooit wat. Onvermijdelijk zeil je daardoor af naar dat ene punt waarover zo vaak en fel wordt gesproken in de top van onze samenleving: Goede coaches en spelers kunnen niet aardig zijn. Dat is vervelend maar het heeft ook zijn voordelen, omdat je je spelers niet hoeft te motiveren. Cruijff: 'Het zijn professionals. Wie zijn best niet doet, besteelt twintig gezinnen.'

Dat gezegd zijnde is het eigenlijk alleen de vraag hoe je als leider op een fatsoenlijke wijze onaardig kunt zijn. Ik grijp daartoe terug op een van de eerste hoofdstukken van dit boek, waar we het hadden over het geven van rugdekking. Ik noemde dat de belangrijkste taak van de leider.

Het betreft immers de kern van een vertrouwensrelatie en in de voetballerij en daarbuiten is de uitvoering controversieel, om het maar eens diplomatiek uit te drukken. Het dilemma werd door Johan kernachtig samengevat: 'Sport is democratie met een dictator aan het hoofd. Maar die dictator moet wel op een mens blijven lijken.'

Johan had zelf als zeventienjarige van Rinus Michels zijn kans gekregen in Ajax 1 en erkende diens grote rol: 'Hij heeft ons als spelers opgevoed. Hij bracht ons zelfdiscipline bij en leerde ons het fijne van tactiek.' Maar tegelijk is er dat punt van het dictatorschap: 'Zeker, hij was dictatoriaal, echt de "generaal", zoals hij later werd genoemd. "Meneer Michels, als we zondag nou eens..." "Als ik jullie mening wil weten, dan zeg ik het wel!" klonk het dan. Hij is een aardige man met veel gevoel voor humor, maar dat kwam nooit tot uiting in zijn werk. Naar onze mening vroeg hij niet! Hij gaf de zijne!'

Het individu werd bij Michels ondergeschikt aan het collectief. Wie zich daarin niet voegde, werd beboet. De gevoelsmens Piet Keizer bracht dat nog scherper dan Johan onder woorden: 'Boete als je te laat kwam op de training, als je geen stropdas droeg. Als je buiten het veld geen discipline had, had je het op het veld ook niet. Tactische discipline, daar ging het Michels om. Hij heeft wat dat betreft de basis gelegd voor het latere succes van het Nederlandse voetbal.' Maar met de positieve waardering voor dat succes en ook de lessen die hij zelf leerde van Michels voelde Keizer zich beperkt in zijn vrijheid: 'Ik vond dat wat hij deed beknotting, bevoogding.' Hij had een hekel aan Michels' 'onpersoonlijke' benadering: 'Hij probeerde het persoonlijke en emotionele weg te halen; persoonlijke banden moesten worden doorgesneden. Hij was een trendsetter wat dat betreft, maar schiep tegelijk daarmee een enorm conflict.'

Michels was ook de man van de nummers: spelers hadden geen naam maar een nummer dat hoorde bij hun positie. Dat leidde tot een curieuze, wat afstandelijke gespannen verhouding, die het meest treffend door Johan werd verwoord in zijn ontboezeming: 'Vreemd: Danny zegt Wil en meneer Michels tegen de Michelsen. Onze kinderen noemen hen oom Rinus en tante Wil. En ik zeg mevrouw en meneer Michels.'

Ik haal deze teksten aan – er zijn er veel meer – omdat het een punt betreft waarmee ik problemen heb. Het gaat er (on)behoorlijk hard aan toe bij het topvoetbal en ik vraag me af of daarbij wel voldoende aandacht wordt besteed aan het behouden van de menselijke maat.

Er is in de eerste plaats een groot verschil tussen het nummeren van mensen en hen, zo nodig, op hun nummer zetten. Ook dat laatste is niet prettig maar soms strikt noodzakelijk. Cruijff vergeleek in 1990 de leiderschapskwaliteiten van Marco van Basten en Ruud Gullit. Het is een lang citaat, maar het beschrijft voortreffelijk het spanningsveld waarvoor elke topper zich gesteld ziet:

> 'Een maatje waarmee je speelt op zijn nummer moeten zetten, is niet prettig. Ik denk dat Van Basten er beter geschikt voor is. Niet per se vanwege zijn kwaliteiten, maar vanwege zijn karakter. Leider zijn is vaak niet prettig. Omdat je hard moet zijn. En dat kan Van Basten beter want Van Basten kan normaal ook de nare dingen goed doen. Gullit is daarvoor te sociaal, te aardig. Heeft ook zijn voordelen maar als het mes op tafel moet is Van Basten beter. Dat is gewoon zo.
> Dat wil natuurlijk niet zeggen dat Gullit minder is. Misschien is hij qua persoon wel veel beter. Want prestatiegerichte mensen zoals ik en Van Basten zijn per definitie niet aardig. Die gaan door een muur om die prestaties te verrichten. Die maken daaraan alles ondergeschikt en roepen op het veld de vreselijkste dingen. Moet ook. Want op het eind

word je allemaal opgehangen aan het eindresultaat, dus er zal iemand moeten zijn die het voortouw neemt. En dan kun je niet sociaal zijn.'

Tot zover kan ik het volgen. De formule achter de FC Cruijff was: op of uit. Je stroomde door binnen de selectie naar een steeds hoger niveau of je stroomde naar buiten. Mits goed uitgevoerd gaat er een enorme kracht uit van de formule. Jong talent stroomt binnen en krijgt al vroeg kansen. Vastlopers – de beruchte 'leemlaag' van het middenkader, een vreselijke term – maken plaats en verstarring wordt voorkomen. Of zoals Johan het uitdrukte: 'Ik concentreer me alleen op de goede spelers. Wie moet afvallen gaat zo lang mee tot we een betere hebben gevonden.'

In de topsport is dat prima, maar het creëert wel een enorm spanningsveld waarbinnen de leider zijn weg moet bepalen. Twee citaten van Josep Guardiola, jarenlang Mister Barcelona, zijn tekenend voor beide zijden van de medaille: 'Alleen al door naar je te kijken, zorgde hij al voor bibbers van angst', maar ook: 'Cruijff had vertrouwen in mij en hij gaf me de kans.'

Voorwaarde is dat het recept wordt ingevuld met respect voor de mensen om wie het gaat. Zo niet, dan regeren angst en onzekerheid en zullen de 'slachtoffers' zelden opbloeien tot hun werkelijke potentieel. Het mooie boek *Leerschool Ajax* van Rik Planting laat weinig illusies wat betreft de invulling in de voetballerij. 'Afvaller' Paul ten Kortenaar vat het recept kernachtig samen: 'Het was doodsimpel. Om bij Ajax te spelen moest je in de eerste plaats talent hebben en in de tweede plaats beschikken over de mentaliteit die noodzakelijk werd geacht voor het bedrijven van topsport. Wie niet over beide beschikte: jammer, dan was er geen plaats voor je.'

Maar daarna volgt de ene na de andere naargeestige illustratie van gefrustreerde kerels en – soms – hun ouders. Toegegeven, het zijn de verliezers die het niet haalden en dus ongetwijfeld hun verhaal kleuren. Maar het zijn er te veel en er zijn vrijwel geen 'tegenvoorbeelden' van mensen die werden geholpen met het goed-wegkomen naar een andere club of een plaats elders in de maatschappij. Bij een up-or-out formule hoort een nazorg die blijft uitgaan van de speler.

Nog veelvuldiger zijn de verhalen van zowel de verliezers als de winnaars, die nog vele jaren later praten over de hardheid van de leerschool. Cruijff, toch zeker geen zachte jongen, viel uit de toon omdat hij mensen bleef (h)erkennen. Een van de ooit-veelbelovende-maar-later-afgeknapte jeugdtalenten, Dave Markus, kreeg in 1985 als A-junior met hem te maken: 'Ik was gewend dat trainers schreeuwend en vloekend tekeer gingen. Cruijff's benadering was rustig, positief, persoonlijk, eerlijk.'

Het coachen van Cruijff was niet zachthandig, maar naar buiten toe gaf hij altijd de voor vertrouwen noodzakelijke rugdekking. Richard Witschge en zijn mentor Cruijff vullen elkaar naadloos aan. Witschge: 'De manier waarop hij de jonge spelers tegen lastige journalisten in bescherming nam, heb ik altijd heel erg van hem gewaardeerd, maar zodra we onder elkaar waren pakte hij je keihard aan.' Cruijff: 'Ik bescherm mijn spelers, zeker naar buiten, maar intern ben ik wel degelijk keihard. Ook vaak rücksichtslos, want die dingen moeten wel gebeuren.'

Toppers mogen niet aardig zijn, moeten misschien zelfs rücksichtslos zijn, maar je mag tegelijk wel van ze eisen dat ze fatsoenlijk zijn of – wellicht een beter woord – betrokken. Johan had gedurende zijn carrière als speler en coach een groot aantal aanvaringen, die vrijwel altijd publiekelijk werden uitvergroot. Wat in normale organisaties klein bier was, werd door de media tot Groot Nieuws uitgeroepen. Daarbij gingen reputaties over tafel en werden mensen beschadigd.

Echte vertrouwensbanden gaan diep en grote leiders weten die met hun maten te vormen. Het vereist enorme investeringen om zulke banden te smeden en alleen 'echte' mensen – ik opende dit boek ermee – kunnen die doen. Ik kan mij voorstellen dat Johan, met alle lof die hem is toegezwaaid voor zijn heldendaden op het veld of op de bank, veel trotser is op de complimenten die hij kreeg van vroegere 'slachtoffers' van publieke vetes.

> 'Als je ziet naar al die gasten waar je naar buiten uit een enorme bonje mee gehad hebt. Ik lees in de krant dat Stoichov iets aan zijn hart heeft met een of andere toestand in Bulgarije en dat hij daar in het ziekenhuis in de intensive care lag. Je kent zijn vrouw, je kent zijn kinderen. Het moment dat hij loopt, dat hij me belt en zegt van jij hebt er wat meer ervaring mee dan ik met je hart, want je hebt er zelf wat mee gehad... waar moet ik naar toe en wat moet ik nou doen? Dan praat je dus over een verstandhouding die je hebt met die spelers die natuurlijk veel verder gaat als aardig zijn of niet aardig zijn.'

Cruijff vat samen: 'Aardig zijn, dat kan je doen privé. Je kan niet aardig zijn als je in de topsport zit. Dat moet je volledig scheiden. Je moet eerlijk zijn, menselijk zijn, maar niet aardig zijn. Dat is heel wat anders. En nogmaals, aardig zijn of iemand op een bepaald moment begeleiden in een situatie, dat zijn twee totaal andere dingen.'

Toch blijf je je, ook bij hem, afvragen: moet dat begeleiden nu op die manier? Mensen, vooral onzekere jongeren hebben behoefte aan de bescherming van nestwarmte. Ik vermoed dat Ruud Gullit mede om die reden in zijn jonge jaren koos voor het Haarlem van Barry Hughes. Zijn vrijage met het meer voor de hand liggende Ajax was hilarisch kort: 'Ajax, ze hebben me een keertje gevraagd om te komen praten, maar mijn auto was kapot en ik moest met de tram, en daar had ik geen zin in. Toen heb ik afgebeld.'

Mij ontbreekt de kennis van het topvoetbal om de voors en tegens van een keiharde benadering te bespreken. Maar het lijkt mij toe, dat er ook binnen onze grote ondernemingen en de overheid een plaats is voor coaches en mentoren. Alleen indien zij persoonlijk hun leerlingen willen motiveren en willen fungeren als rolvoorbeeld, mogen wij verwachten dat de vonken van een werkelijke maatschap overspringen. En het uitgangspunt moet zijn de leerling als mens. Het meest wrange citaat dat ik in mijn Cruijff-literatuur tegenkwam is ongetwijfeld van Frank Rijkaard, een half jaar na zijn overhaaste vertrek bij Ajax nadenkend over zijn relatie met Cruijff: 'Maar ik weet zeker dat hij mij zich herinnert als dat spelertje dat overliep van ontzag voor hem.'

Leo Durocher zei: 'Aardige mensen eindigen onderaan', ik opende ermee. Er is echter niets dat toppers ervan weerhoudt om, als het even kan, de menselijke maat te behouden. Dat maakt het leven aan de top inhoudelijk een stuk aangenamer, zelfs als je soms onaardig moet zijn.

Voorkom dat je deel van het probleem wordt

Soms is de mens zijn beste vijand. Teveel toppers bezwijken onder de druk die zij zichzelf (laten) opleggen. Teveel laten zich ook inzuigen in de routines van hun organisatie en verliezen het vermogen om vonken te laten overspringen binnen hun maatschap. Teveel zien met angst en beven het einde van hun carrière naderen en klampen zich te krampachtig vast aan hun positie. In alle drie de gevallen worden ze daarmee deel van het leiderschapsprobleem binnen hun organisatie. In plaats van als voortrekker fungeren ze als rem; ze kosten energie in plaats van die te injecteren.

Cruijff heeft meer dan dertig jaar in het volle licht van de schijnwerpers aan de wereldtop binnen zijn vakgebied gestaan. Dat vreet energie en is alleen mogelijk als je ook geweldig veel energie opneemt. Het wekt dan ook nauwelijks verwondering dat zijn ervaring op drie punten zinvolle handvatten biedt voor anderen: bewaar je onafhankelijkheid, blijf tegen mensen aanpraten, en creëer steeds weer nieuwe uitdagingen.

Bewaar je onafhankelijkheid. Je leest vaak over de eenzaamheid en de druk aan de top van onze maatschappij en de noodzaak om je evenwicht te bewaren, zowel fysiek als geestelijk. Johan heeft veel meegemaakt en ik bewonder hem om zijn gelijkmatigheid. Ik heb mensen zien bezwijken onder kritiek, vooral als die onterecht is. Als je als politicus 's ochtends voordat je op kantoor komt in drie kranten hebt gelezen dat je een idioot bent en 's avonds zie je het in kleur in Den Haag Vandaag, dan ga je binnen drie dagen door je hoeven. Niemand heeft zoveel zelfvertrouwen in huis, dat hij tegen dit soort druk bestand is.

Johan beschrijft bijvoorbeeld hoe hij in 1978 vertrok als voetballer bij Barcelona. De externe druk was waanzinnig:

> 'In Spanje wonen veertig miljoen mensen, ze hebben een weeksalaris voor voetbal over, dat wil zeggen dat je hun bezit bent, en op een gegeven moment zit het je tot hier, ook door de gigantische mediabelangstelling. En dan moet je stoppen. Dan doe je een paar stappen terug, en dan ga je eigenlijk weer, laten we zeggen, een beetje het midden zoeken.
> Als je daar in dat circuit terechtkomt, zit je natuurlijk aan de extreme kant. En op het moment dat je er genoeg van hebt, wil dat niet zeggen dat je genoeg van het voetballen hebt of van alles wat er mee te maken heeft, maar wel van het extreme gedoe.'

Druk is echter ook verslavend, het geeft een kick als de adrenaline stroomt. Johan keerde bij Ajax terug als voetballer én coach en nam in 1990 ook plaats op de bank bij Barcelona, met zijn verpolitiekte besturen en hitsige media. Dat moet je willen, maar ook aankunnen. Nederlandse journalisten vroegen hem: hoe overleef je dat? Wat houdt dat spel in? 'Voor mij? Dat je je onafhankelijkheid bewaart. Dat je, ook als de weg niet in één keer naar boven loopt, blijft vasthouden aan je ideeën. Ik vind dat je er altijd uitgestuurd moet kunnen worden, maar dan met je eigen ideeën.' Zo te horen ben je na Ajax niet veranderd. 'Nee. Je wordt hoogstens iets handiger in het bespelen van de boel, maar in principe blijft je denkwijze je denkwijze. Natuurlijk twijfel je wel eens. Denk je: had ik dat nu wel of niet moeten doen? Maar ik weet welke lijn ik wil volgen en waar het om gaat is dat je daaraan vasthoudt.'

Johan onderkent dezelfde kwaliteit ook bij andere toppers: 'Beckenbauer is een natuurlijke leider, dat was hij als speler al. Hij voelt zich nooit aangevallen en ziet geen vijanden achter bomen. Hij is en blijft Beckenbauer. Dat vind ik bepalend. Veel beleidsbepalers van clubs zijn bang voor prestigeverlies of beschadiging in de media. Die mensen laten zich beïnvloeden door het randgebeuren en dat is altijd een slechte zaak. Je visie is heilig, je moet je nooit door incidenten of een mening van buitenaf laten beïnvloeden. Franz Beckenbauer staat daar echt boven.'

Kan iedereen zich een dergelijke onafhankelijke opstelling veroorloven? Ik vermoed van niet. Ik leerde bijvoorbeeld ooit van mijn vader dat het leven pas goed wordt als je uitgaven niet meer hoeven af te hangen van je inkomen. Je bent dan financieel onafhankelijk, zoals dat zo mooi heet. Ik vermoed ook dat in Johan's geval een dergelijke zielenrust voor een belangrijk deel stoelde op zijn hechte thuisbasis. Hij is daarover altijd buitengewoon terughoudend geweest. Daarom volsta ik met één citaat van Johan over zijn thuisfront: 'Ondanks alle verhuizingen zijn we toch een heel hecht gezin gebleven. Omdat niemand buitenspel werd gezet. Dat vooral heeft me in de moeilijkste tijden overeind gehouden. Dat voortdurende gevoel van rugdekking dat ik vooral van Danny kreeg en het gegeven dat ik in Nederland, Spanje en Amerika altijd van dichtbij kon zien waarvoor ik het allemaal deed. Danny, de drie kinderen, de drie honden en de kat. Overal waar ik thuiskwam, kreeg ik zo het gevoel dat ik ook echt thuis was.'

Voor ieder van ons zal het anders liggen maar de les blijft overeind: wil je aan de top van onze maatschappij met een gevoel van voldoening overleven, bewaar dan met grote inzet je onafhankelijkheid. Werkelijk onafhankelijk ben je pas als je het aandurft je activiteiten en je prioriteiten te laten samenvallen. Alle andere zaken worden dan relatief in hun belang en daardoor kun je vasthouden aan je visie. Een mooie gedachte.

Blijf tegen mensen aanpraten. Komt de FC Cruijff nog een keer op tafel? 'Nee, dat moet je vergeten. Is ook niet belangrijk of zo'n idee uitkomt. Belangrijk is of je ermee aan de gang gaat. En als je dat blijft doen, komen er vanzelf nieuwe ideeën.'

In een interview met *Vrij Nederland* in 1990 verwees Johan naar de FC Cruijff: 'Was ook een brainwave. Of een hersenschim, net hoe je het noemen wilt.' Negen van de tien keer wordt het niks met zo'n hersenschim. Zoals ook de meeste onderzoeksprojecten of nieuwe producten of fusies matige resultaten opleveren. Toch is er geen alternatief als je wilt voorkomen dat je organisatie en/of jij stagneren. De leider moet dus aan de boom blijven schudden en voortdurend op zoek zijn naar nieuwe brainwaves en hersenschimmen om de maten in een maatschap te inspireren. Zo al ooit geldt hier zijn beroemde wijsheid: 'Je moet schieten, anders kun je niet scoren.'

'Mijn broer Henny speelde bij het Amsterdams A.F.C. en hij werd er een keer uitgestuurd, omdat hij een overtreding had begaan en de scheidsrechter hem wilde noteren in zijn boekje. Toen hij zei, dat zijn naam Cruijff was, geloofde de scheidsrechter hem niet en stuurde hem het veld uit, omdat hij dacht in de maling te worden genomen.'

'Ik vind het altijd leuk als mensen enthousiast reageren als ik ergens kom. Vooral Spanjaarden waren altijd heel uitbundig. Ik zat een keer met Danny en de kinderen te eten in een restaurant, toen er voor het raam mensen samendromden, naar binnen keken en allemaal "Cruijff, Cruijff" riepen. Opeens kwam mijn dochtertje Chantal naar me toe en zei: "Johan, die mensen roepen allemaal mijn naam."'

Zulke ideeën kun je zelden in je eentje uitwerken, daarvoor ontbreekt je de kennis en het overzicht. De moraal is daarom simpel: denk twee keer na, want de risico's zijn aanzienlijk en als je toch besluit af te dwalen van het schoenmaker-houd-je-bij-je-leestprincipe, omring je dan met mensen die jouw tekortkomingen kunnen invullen. Zoals Johan het zegt: 'Dus ga je tegen iemand aanpraten.' Bij de FC Cruijff was dat bijvoorbeeld Tonnie Bruins Slot op het gebied van scouting en opleidingen: 'Want ik heb veel ideeën maar ik kan het niet altijd coördineren. Dus dat doet hij en dat is dan weer zijn kwaliteit.'

Intuïtief formuleert Johan de essentie van de lerende organisatie, zoals dat in het managementjargon heet. 'Praten in zo'n klein groepje, ieder vanuit zijn eigen specialisme, is net een superuniversiteit. Je leert vreselijk veel en snel. Ik van hen, zij van mij want een topsporter is natuurlijk niet stommer dan ieder ander die gespecialiseerd is. Specialisten zijn eender. Ze kunnen allemaal voor honderd procent praten over hun eigen aspect maar daarbuiten hebben ze geen overzicht.'

De lerende organisatie stelt echter hoge eisen en te weinig leiders zijn daarvan doordrongen: 'Het valt me vooral op dat de beleidsbepalers nooit met het individu bezig zijn, ze bekommeren zich louter om het elftal. Maar een team bestaat uit elf individuen die stuk voor stuk om een individuele benadering vragen.' Elk van de maten heeft eigen toekomstplannen en die moet zij of hij idealiter binnen het grotere geheel kunnen verwerkelijken. Door jezelf en je team nu de tijd te gunnen om in kleine groepen hardop na te denken over de toekomst van de gezamenlijke maatschap, kun je hopelijk de gezamenlijke plannen oplijnen met de persoonlijke plannen.

Het recept is simpel: de leider legt zijn brainwaves of hersenschimmen voor, zeg maar: maakt de houtskoolschets voor een gezamenlijke visie. De maten krijgen daarna de ruimte om die schets in te kleuren, ook met hun eigen ideeën. Dan springen de vonken alle kanten op en als de leider zijn eigen verhaal later terughoort, is het een levend verhaal geworden: óns verhaal.

Een bevlogen visie van een geïnspireerde maatschap bouwt op de inbreng van onder af. Bovenbazen onderschatten vaak de kennis op de werkvloer en ook de behoefte van mensen om serieus te worden genomen. Ze doen zichzelf en hun organisatie daarmee tekort. De kleine radertjes in een organisatie weten vaak veel meer dan ze ook zelf denken; er wordt hun alleen zelden wat gevraagd: 'Dat heeft iedereen die geobsedeerd is door een bepaald iets. Maar je hebt natuurlijk meer kwaliteiten dan alleen datgene waarvoor je gekwalificeerd bent. Alleen moeten die kwaliteiten gekanaliseerd worden. Ze moeten bruikbaar worden. En daar heb ik hen voor nodig en zij mij.' En ook dat is een mooie gedachte.

Creëer steeds weer nieuwe uitdagingen. In een vroege versie van deze tekst hanteerde ik het kopje: maak dat je wegkomt. Het was me te negatief, maar het gaat wel om een wezenlijk punt waarmee elke topper aan het eind van zijn carrière onvermijdelijk te maken krijgt.

Er is een tijd van komen en een tijd van gaan en je moet daar heel bewust mee omgaan. Johan vertelt over zijn laatste jaar bij Feyenoord:

> 'Met mijn zesendertig jaren kon ik natuurlijk nooit de volle negentig minuten spelen, dat was onmogelijk. Ik maakte elke tien minuten misschien, laten we zeggen, een of twee acties en dan moest ik weer een vier of vijf minuten rust nemen. Wat normaal is op die leeftijd. Het ging dus niet om wat ik deed, het ging eigenlijk om de organisatie. Als ik de bal kreeg, kon ik er wel wat mee doen. Dat kan ik zelfs nu nog. Toen had ik misschien tien minuten nodig om me te herstellen en nu is dat – wat zal 't zijn? – twintig.
> Maar er zijn altijd elf spelers en het voornaamste is dat iedereen zijn werk doet. Dus wat ik deed, was zo'n beetje als een politieagent het verkeer regelen: jij doet dit en jij doet dat. Als je de bal hebt, kan je door het goed plaatsen van mensen tenminste voorkomen dat er iets fout ging, dat we de wedstrijd onder controle hadden. En als ik dan lucht genoeg had om iets te doen, nou, dan deed ik iets.'

Toppers aan het eind van hun carrière zijn vaak nog in staat bij tussensprintjes te laten merken dat ze nog niet zijn uitgeteld en dat ze hun vak nog steeds beheersen. Maar de volle negentig minuten of alle trainingen op volle toeren zit er dan meestal niet meer in. Als je je dat niet realiseert, ga je de mensen om je heen – je maten in je team – remmen in plaats van inspireren. Ze zijn voorzichtig met je, als je geluk hebt: aardig ook. Ze sparen 'the grand old man' met al zijn verdiensten voor de maatschap. Blijf daarom kritisch in de spiegel kijken en onthoud Johan's levensles: 'Goede dingen die over je geschreven worden, gaan altijd over iets wat gebeurd is.'

Onthoud ook dat je hiërarchie nooit bovenin maar alleen aan de onderkant voelt. Zolang jij op de belangrijkste stoel zit, heb je vanuit hun perspectief nog macht om zaken naar jouw hand te zetten. Zelfs terwijl ze nijver aan de poten zagen, zijn mensen soms verrassend stil. Waardoor je misschien niet de signalen oppikt die kunnen helpen om te weten waar je staat.

Een zeer jeugdige Cruijff dacht erover bij het afscheid van Mister Ajax, Sjaak Swart in 1973: 'Het loopt een keer af, dat is juist het probleem. En geen voetballer, geen mens, die dat kan accepteren. De eerste voetballer die emotieloos stopt, moet nog geboren worden. Als er bijna twintig jaar over Sjaak Swart geschreven en gedaan is en het wordt opeens stil, dan is dat wat. Wat gebeurt er dan met je? Dat is voor mij de vraag.'

In een van zijn betere slagzinnen gaf hij vele jaren later zelf de richting aan: 'Niets doen is niets in het leven.' De echte vraag is: wat doe je als je 'alles' geweest bent? Voor het antwoord moet je bij jezelf te rade gaan: wat vind je belangrijk in het leven? 'Een van de belangrijkste dingen in het leven is steeds weer nieuwe uitdagingen te creëren. Dat heb ik ooit in het voetbal geleerd, maar ook na mijn carrière heb ik daar veel profijt van gehad.'

Die 'levensvisie' – zijn woord – probeert hij nu uit te dragen via geheel nieuwe activiteiten die voortbouwen op zijn voetbal: 'Ik ben me ervan bewust dat ik als voormalig topvoetballer een voorbeeldfunctie heb. Daarom wil ik graag iets nalaten waar de mensen wat aan hebben. Er is de Johan Cruyff University, er is de Cruyff Foundation en ik wil een voetballeerplan voor de toekomst leveren. En ik ga absoluut het straatvoetbal nieuw leven inblazen, omdat dat toch de meest authentieke vorm van voetballen is.'

De Johan Cruyff University, een initiatief samen met de Hogeschool van Amsterdam, is een vierjarige heao-studie voor topsporters die rekening houdt met trainingsschema's en grote wedstrijden. De achtergrond is volgens de Maestro simpel: 'Een tweede trein pakken is heel moeilijk, die is er meestal niet.' De opleiding bereidt hen nu voor op een leven na de sport. Er waren twijfels of al die atleten en balsporters wel konden leren, maar Cruijff zag dat anders. 'Een motorrijder die met driehonderd kilometer per uur over een circuit rijdt, moet enorm snelle hersens hebben, anders gaat hij de pijp uit. Een schaker mag vijf minuten nadenken over een zet. Wie zou slimmer zijn?' In 2003 leverde de opleiding zijn eerste lichting van vierentwintig (ex)topsporters af.

De Johan Cruyff Foundation is er om met name gehandicapte en minder kansrijke kinderen in Nederland en daarbuiten door middel van sport en spel levensgeluk te brengen als bijdrage aan hun ontwikkeling en toekomst. Met als slogan een citaat van Johan: 'Als je de mogelijkheid hebt om iets voor een ander te doen, dan moet je dat doen.' Atletiek voor verstandelijk en lichamelijk gehandicapten, paardrijden voor gehandicapten, een sportstimuleringsproject in Amsterdam-Zuidoost, projecten rond schaatsen, rolstoelbasketbal, duiken, rolstoelhockey: het scala is breed. Een nieuw project dat zich richt op het stimuleren van het straatvoetbal ontvangt de baten van dit boek. Kleine trapveldjes midden in druk bewoonde wijken en steden moeten de jeugd uitnodigen om meer te sporten.

Niets doen is niets in het leven; voor anderen zal het iets anders zijn. Velen zoeken voldoening als commissaris of bestuurder; anderen werpen zich op een studie of een intensieve hobby. Het maakt niet uit als het maar wezenlijke uitdagingen betreft, want zo al ooit geldt hier het adagium: houd een ander voor de gek, maar nooit jezelf. Het is zaak jezelf tegen het eind van je 'eerste' carrière scherp voor ogen te houden en ook je 'zin' in je werk regelmatig te peilen. De spiegel is keihard en je moet, zo nodig, heel onaardig tegen jezelf durven zijn. Het ging er immers om het leuk te houden aan de top en, zoals Johan het uitdrukt: 'Ik kan alleen maar prettig voetballen wanneer ik alles nog kan opbrengen.'

Meestal zijn er wel signalen van buiten die, als je er voor openstaat, de boodschap overbrengen dat het tijd wordt om over nieuwe uitdagingen na te denken. Mijn favoriete voetbalverhaal – het product van twintig jaar op de bijvelden van Nederland – biedt daarom stof tot nadenken, ook voor de toppers van onze samenleving. Zowel de midvoor als de linksbuiten van mijn vroegere studentenelftal Unitas Leiden 4 waren in de loop der jaren uitgegroeid tot gewaardeerde chirurgen op gevorderde leeftijd. Spits Anton besloot afscheid te nemen van de actieve wedstrijdsport, toen zijn directe tegenstander tegen de rechtsback riep: 'Hé, Piet, neem jij die grijze, dan neem ik die kale.' Laat het zo ver niet komen!

Als je toppers in het bedrijfsleven vraagt naar hun favoriete lied, heb je een vlotte kans dat ze antwoorden 'I did it my way' van Frank Sinatra. Mooier, want authentieker, is Edith Piaf's 'Non, je ne regrette rien'.

Iedereen wil later, als hij tachtig is, kunnen terugkijken met een vorm van voldoening: Aardig gedaan, jochie, wat ga je nu doen? Johan is zo oud nog niet en we mogen nog een en ander van hem verwachten. Zoals hij dat van zichzelf doet. Zijn uitgangspunt staat

PIET KEIZER OVER HET AFSCHEID NEMEN VAN DE TOP

Piet Keizer vergelijkt zichzelf met Cruijff: 'Ik word niet gedreven door ambitie. Johan wel. De beste, de grootste, de belangrijkste – zulke dingen waren belangrijk voor hem.'

In het najaar van 1974 was de kaars bij hem opgebrand: 'Ik had nog wel verder gekund, maar ik wilde niet meer. Ik was het zat. Niet zomaar opeens, ik was het al langer zat. Ik had geen ambitie meer. Daar liep ik al nooit van over; nooit heb ik het gevoel gehad dat ik iets per se wilde bereiken. Ik wilde een normaal leven leiden. Niet meer reizen, trainen, spelen; geen druk of spanning meer, geen kritiek of adoratie. Ik snakte naar een leven zoals dat van mijn buurman. Ik wilde niet langer beschouwd worden als een... Nu ja, als een... held...'

---

echter vast: 'Ik ben er nog steeds van overtuigd dat zoals ik het doe je het moet doen, want anders zou ik het niet doen.'

IN SEARCH OF EXCELLENCE

Over welke persoonlijke kwaliteiten moet een leider beschikken? En kan je die kwaliteiten scherper op het netvlies krijgen door je op basis van uitspraken van zijn (mede)spelers, coaches en bestuurders te concentreren op de persoon van Johan Cruijff?

Volgens *In Search of Excellence* bouwt de succesformule van Leiders op vier elementen: een perfecte uitvoering van sleuteltaken, een sterke teamgeest, een vastomlijnd maar flexibel plan, en ten slotte duidelijkheid en geloofwaardigheid. Laten we ze ter afsluiting van dit leerboek stuk voor stuk doornemen.

Cruijff onderscheidt zich door een **perfecte uitvoering van sleuteltaken**. Niet alleen is hij een technisch zeer begaafde speler, hij verlangt ook van zijn medespelers een superieure afwerking en leert ze – door voorbeeld en instructie – hoe verder te komen.

> Tscheu-la Ling, medespeler: 'Er is goed, beter en best. En Cruijff is de beste, ik heb er geen moeite mee om dat te erkennen.'

> Jan Mulder, medespeler: 'Ajax was Cruijff. Een onbegrijpelijk goede speler. Je bek viel open; je geloofde niet wat je zag.'

> Georg Kessler, trainer: 'Topspelers zoals Cruijff er een was, behoren tot het veeleisende slag. Zij vergen in de eerste plaats alles van zichzelf en daardoor ook van hun medespelers. Hebben die een andere karakterstructuur, dan ontstaan botsingen. Ik heb met diverse cracks mogen werken. Bij hen brandt altijd een heilige, niet te doven vlam. Ze blijven trainen, denken, vooruitzien, corrigeren en kritiseren.'

Die perfecte uitvoering van sleuteltaken komt in de eerste plaats tot uitdrukking in een *sterke klantgerichtheid*. Toppers houden hun organisatie scherp door iedereen steeds voor te houden: voor wie doen we het eigenlijk? De concurrentieslag moet worden gewonnen in de markt en zij gaan ervan uit dat de beoogde klanten bijna altijd beter weten wat zij nodig hebben. Goed luisteren, je goed indenken in hun behoeften is daartoe een voorwaarde.

Bij het voetbal gaat het om het publiek. De bezoekcijfers van zowel Ajax als Feyenoord kunnen als passend surrogaat dienen voor citaten. Ajax verloor na het vertrek van Cruijff in 1983 dik vijfeneenhalfduizend toeschouwers per thuiswedstrijd, een hoofdtribune vol. Feyenoord pakte er aan de andere kant door zijn komst een kleine drieduizend extra. Cruijff durfde het aan om indertijd bij beide clubs te spelen op basis van gestegen toeschouwersaantallen.

De kunst zit hem, net als bij de verkoop van auto's of welke soort consumentenproducten dan ook, in de herhaling. Het is leuk als iemand een keer naar het stadion komt of een wedstrijd van jouw club op de tv bekijkt, maar het gaat erom dat hij dat daarna jarenlang blijft doen. Klantenbinding en klantenloyaliteit zijn de trefwoorden voor succes.

Als de toeschouwers immers komen, op de tribune of thuis voor de tv, dan volgen de financiers – sponsors of aandeelhouders – vanzelf en, in het concept van de FC Cruijff zwaar benadrukt, ook de (potentiële) spelers en hun ouders. Succes kweekt in die zin onvermijdelijk succes. De 'winnaar' is daarbij veelal degene die het best zijn huiswerk doet. De basis voor succes in de concurrentiestrijd is gelegen in de klassieke negenennegentig procent transpiratie en één procent inspiratie. Je moet gewoon beter dan een ander datgene doen waarvoor je betaald wordt.

De slagingskans van een topverkoper en een gemiddelde verkoper lopen niet zo erg ver uiteen: wanneer bijvoorbeeld de topverkoper bij achttien procent van zijn contacten met klanten succes heeft, blijft de gemiddelde verkoper steken op dertien procent. Wanneer de gemiddelde verkoper dus twee maal zo veel doet – bezoeken aflegt, kaartjes verstuurt, zijn vaste klanten in de watten legt – verkoopt hij meer.

Bij voetballers gaat het om andere zaken, maar het principe is hetzelfde. Bij een topclub wordt een tikje harder getraind, zijn de spelers op het veld net een tikje meer geconcentreerd, kan iedereen een beetje minder tegen zijn verlies en zijn er net een paar spelers, die overeind blijven met 0-1 achter en tien minuten te gaan.

> Jan Wouters, na zijn overgang van Utrecht: 'Aanvankelijk had ik het moeilijk in Amsterdam. Niet zozeer qua mentaliteit, daarin verschillen Utrecht en Amsterdam niet zoveel. Maar ik moest heel erg wennen

> aan de zware trainingen en aan het veel hogere tempo dat er bij Ajax gespeeld werd. Dat was ook een van Cruijff's heetste hangijzers: het opvoeren van het tempo. Een bal niet meer eerst rustig controleren, maar als het even kan ineens doorspelen, zodat het tempo niet stokt.'

Een grote klantgerichtheid is een voorwaarde maar is niet voldoende. Als de concurrentieslag wordt gewonnen in de relatie met klanten, wordt hij vaak verloren in eigen huis, bij de productie of de distributie. Dat is overigens ook de achtergrond van de veel geciteerde slagzin van Cruijff: 'Italianen kunnen niet van je winnen, maar je kan wel van ze verliezen.'

De tweede vereiste is dus een *hoge productiviteit aan de basis.* Ik zal u daarom het geheim van organisatiestructuren onthullen. Traditioneel gaan we met elkaar uit van doosjes, waarin mensen zitten en die met lijntjes verbonden zijn. In een zogenoemd organogram worden die hokjes verbonden door een hark; in het bovenste hokje huist vanzelfsprekend de baas.

In de werkelijkheid ligt dit echter geheel anders. Een organisatie bestaat uit een heel stel in-elkaar-hakende grote en kleine tandraderen. Hoewel we daarover filosofisch van mening kunnen verschillen, functioneert de organisatie heel simpel: als de kleine wieltjes onder in de organisatie een slag draaien, gebeurt erboven vrijwel niets. Als de grote wielen boven echter een tandje draaien, ratelen de radertjes onder.

Behalve, en daar gaat het om, als er onderin zand in de radertjes wordt gegooid. Of als onderaan radertjes verschillende kanten op gaan draaien. Dan komt alles tot stilstand. En dat is de essentie van medezeggenschap, van productiviteit aan de basis, van motivatie. Topleiders weten dat en werken eraan, elke dag. Hun organisaties bereiken hun hoge productiviteit aan de basis door een hele serie, vaak kleine acties. Ze komen allemaal neer op het serieus nemen en het erbij betrekken van de kleine radertjes in de organisatie. En de resultaten tellen op.

> Achterspeler Keje Molenaar: 'Aanvankelijk vulde ik mijn taak vooral aanvallend in. Ik probeerde altijd de linksbuiten van de tegenpartij achter mij aan te laten lopen. Maar Johan leerde me dat ik allereerst mijn zuiver verdedigende taak goed moest uitvoeren. "Taakbewust spelen" noemde hij dat altijd. Eerst de linksbuiten uitschakelen, dan heb je in ieder geval een zes op je rapport. Wat je daaraan toevoegt, is mooi meegenomen. Alleen op die manier verhoog je je belang en waarde voor het elftal, zo zei hij altijd.'

> Feyenoord-keeper Joop Hiele: 'Johan praatte veel over positiespel, over het tevoren kijken. Een aantal spelers heeft daar veel profijt van gehad, onder wie André Hoekstra. Die was eerst een noeste werker, maar in dat jaar werd hij een veel scorende middenvelder, een diepgaande middenvelder, die onder invloed van Johan zelfs het Nederlands elftal een keer heeft mogen halen.'

Cruijff bevordert een **sterke teamgeest**. Hij is een teamspeler die ervoor zorgt dat 1 + 1 meer is dan 2. Een goede leider dient op precies dezelfde wijze ervoor te zorgen, dat de som van zijn team meer is dan de individuele bijdragen van de leden daarvan; dat ze elkaar versterken en ondersteunen. Daarom speelt hij een sleutelrol bij het inhoud geven van de *eigen maatschapscultuur*. Papier is gewillig en de zeven S-en kunnen eenvoudig worden opgeschreven. Maar om ze in de praktijk tot leven te brengen, is een andere zaak. Johan heeft die rol met verve ingevuld, daaraan hoeft na het voorgaande weinig twijfel te bestaan. Steeds weer getuigen zijn oud-(mede)spelers van het houvast dat hij hun bood bij het begrijpen en waarmaken van hun plaats binnen het team.

Stanley Menzo, speler: 'Cruijff heeft de keeper weer belangrijk gemaakt. Zonder Menzo kan het Ajax-concept moeilijk gedijen, zo onbescheiden ben ik inmiddels wel. ... Ik moet verdedigers en middenvelders eventueel op hun taken wijzen, en ik zal het werk moeten opknappen van de verdedigers die bij een tegenaanval niet op tijd terug zijn.'

Maar bij een sterke maatschapscultuur hoort ook onverbrekelijk een vorm van zekerheid, die de leider zijn team verschaft. Het is de rust die de leider uitstraalt, het tikje op de schouder als de ander in spanning zit, het zekere weten dat 'we' het gaan klaren.

Richard Witschge, speler: 'Als Cruijff op de bank zit, voelt een voetballer zich sterker. Dat heeft alles met de uitstraling van Cruijff te maken. Alsof zijn kracht doorstraalt naar de prestaties op het veld. Het klinkt als een soort magie, maar als voetballer ben je je daarvan heel duidelijk bewust.'

Barcelona-secretaris Armand Carabén: 'Volgens mij kregen de spelers door de komst van Cruijff het gevoel dat ze niet meer konden verliezen – en dat voelden de fans ook weer.'

Er is een ander aspect aan de teamgeest waaraan we al eerder raakten. Je zou het kunnen noemen *vrijheid in verbondenheid,* voor mij overigens het banier voor maatschap. Een te collectieve benadering werkt vaak verstikkend. Te veel ruimte voor het individu herbergt echter omgekeerd het risico van overmatig gerommel, met mogelijk nadelige gevolgen voor de groep. Het is dan ook geen toeval dat juist toporganisaties zich op dit gebied scherp onderscheiden. De verbondenheid stelt hoge eisen.

Medespeler Keje Molenaar werd na de komst van Cruijff op de bank gezet: 'Ik veroverde mijn plaats weer toen het mij duidelijk werd dat ik anders moest gaan spelen en denken met Cruijff in de ploeg. Ik moest meer in zijn dienst spelen, maar het duurde een tijdje voordat ik erachter was dat dat in het belang van de ploeg was. Toen ik me eenmaal ondergeschikter opstelde en dat ook voor de technische staf en Johan duidelijk werd, waren er geen problemen meer.'

De leiders kennen echter tegelijk grote waarde toe aan het eigen initiatief en aan het ondernemerschap van hun maten. Binnen duidelijk aangegeven grenzen is er ruimte voor pingelen. Maar die ruimte moet je wel eerst verdienen door gedisciplineerd gedrag.

In productontwikkeling en marketing worden de 'kampioenen' dan gestimuleerd, mensen die door dik en dun achter een project of een product staan en het proberen door te drukken, met als sterkste eigenschap het niet-tegen-het-verlies-kunnen, het winnaarsinstinct. Toppers moedigen ook interne concurrentie aan: voor elke positie heb je minstens twee spelers nodig. Niet alleen loop je dan minder risico's bij blessures en plotseling vertrek, maar de extra kosten en alle spanningen die zo'n concurrentie kan oproepen, worden ook ruimschoots gecompenseerd. De organisatie blijft wakker en de mensen worden geprikkeld tot betere resultaten.

Feyenoord-linksbuiten Stanley Brard: 'In het jaar met Cruijff had ik het eerste halfjaar ook geen basisplaats. Ik heb me wezenloos getraind, liet me volop gelden, maar het hielp niet. Na de winterstop heb ik wel een basisplaats gekregen: links voorin. Ik kwam erin om Johan beter te laten functioneren, om hem het vuile werk en het loopwerk te ontnemen. En dat ging heel goed. Als het niet gelukt was, was ik er gewoon weer naast gezet. Want als ik niet goed speelde, had Cruijff geen boodschap aan S. Brard.'

Feyenoord-linksbuiten Pierre Vermeulen verloor zijn basisplaats: 'Tot de winterstop speelde ik steeds goed; we stonden vier, vijf punten voor.

Wekelijks speelden we in dezelfde formatie met Cruijff in een vrije rol. Maar je zag dat Cruijffs krachten begonnen af te nemen. Na een tweede of derde actie sloeg de vermoeidheid toe. Daarom moest Stanley Brard erin om Cruijff te ondersteunen. Die was daar heel geschikt voor en ik niet. Van nature wil ik acties maken op de linkerflank. Ik was nog veel te jong en te onervaren om te doen wat Stanley wel goed kon: terugzakken om in dienst van Johan te spelen. Hij nam het defensieve werk van Cruijff over. Achteraf gezien bleek dat heel goed geanalyseerd van Cruijff of van Libregts, ik vermoed van de eerste.'

Als spelbepaler en coach gaat Cruijff uit van een **vastomlijnd maar flexibel plan**. De leider moet ervoor zorgen dat de maten op alle niveaus weten waar zijzelf, maar ook de organisatie als geheel naar toe gaan. Johan is daarin een grootmeester, het behoeft nauwelijks nader betoog.

Marco van Basten zegt over het verschil tussen Johan en zijn andere topcoaches spontaan slechts één woord: 'Kennis'. En dan: 'Hij overtuigt. Johan heeft een concept waar hij dan ook ontzettend veel vanaf weet. Hij is ook volledig overtuigd van dat concept, een duidelijk spelconcept. Johan kan er ook heel goed over spreken, hij kan het de jonge jongens duidelijk maken via z'n dagelijkse trainingen.'

Het belangrijkste verschil is echter de *handen-uit-de-mouwenmentaliteit*, waarmee de toppers hun plan invullen. Hun plannen zijn wel vastomlijnd, maar nooit rigide. Hun kracht ligt in de actiegerichte flexibiliteit waarmee ze op hun doel afstevenen.

De 'papieren' organisatie – met vaste blokken en verbindingslijnen – bestaat wel, maar speelt een ondergeschikte rol. Dat geldt voor alles wat naar bureaucratie riekt. Als je een probleem tegenkomt dat belangrijk genoeg is om op te lossen, dan moet je het ook werkelijk oplossen. Bijna steeds grijpen bedrijfsleven en overheid dan naar het wapen van de commissie of de werkgroep of – bij problemen waarbij drukbezette mensen betrokken moeten zijn – de stuurgroep. Met als wrange voetnoot de les die ik in Den Haag leerde: een commissie is goed voor zes maanden uitstel, een stuurgroep voor anderhalf jaar.

Toppers stellen hun teams niet samen uit staffunctionarissen maar uit lijnmanagers, liefst de mensen die uiteindelijk de uitkomsten in de praktijk moeten brengen: het was immers een belangrijk probleem. Hun eindproduct is geen dik rapport, maar een uitvoerbaar actieplan.

Als speler is Johan Cruijff ook betrokken bij het vaststellen van het wedstrijdplan en van de opstelling van het eigen elftal. Maar belangrijker dan dat: hij is degene die op het veld bepaalt hoe en wanneer van dat plan wordt afgeweken.

> Willy van de Kerkhof: 'Hij overzag het veld heel goed en zag aan de opstelling van de tegenpartij hoe een bepaalde aanval ging lopen. Dan stuurde hij: "Willy iets naar links of Johan (Neeskens-PW), jij iets naar rechts." En altijd gebruikte hij zijn handen om te wijzen en te corrigeren. Hij was in alle facetten een leider in het elftal.'

Onder hetzelfde punt van het vastomlijnde maar flexibele plan hoort ook een van de belangrijkste kenmerken van topleiders: zij zijn als het ware bezeten door een *experimenteerdrift*. Hun organisaties zijn voortdurend aan het vernieuwen, aan het uitproberen of iets anders en beter kan. Het meest opvallende is dat zij dit in kleine stapjes doen, vaak in nauwe samenwerking met hun maten. Zij maken alleen wel erg veel stapjes in een korte tijd en bewegen zich daardoor zeer snel voort. En zij accepteren dat al die veranderingen met risico's gepaard gaan.

Hugo Hovenkamp, medespeler: 'In de rust of na de wedstrijd kaartte hij altijd een aantal dingen aan waarvan je dacht: onbegrijpelijk dat ik dat zelf niet heb gezien.'

Josep Guardiola, speler: 'Het is een genie. En als een genie het goed doet, en dat is bijna altijd, is het resultaat perfect. Maar als een genie iets fout doet, gaat het ook zo ongelooflijk fout dat je zin hebt hem te vermoorden. Maar alleen genieën nemen die risico's.'

Het meest uitzonderlijke kenmerk van Johan Cruijff's leiderschap is tenslotte zijn **duidelijkheid en geloofwaardigheid**. Je hoorde hem veel op het veld, je ziet hem veel, maar het meest opvallende: zijn medespelers liepen al 'in het gat' voordat hij de bal daar naar toe speelt. Zijn medespelers wisten wat er van ze verwacht werd en anticipeerden daarop. Cruijff was volstrekt duidelijk en geloofwaardig in wat hij wilde.

Dick Schoenaker, speler: 'Ik kon goed in zijn straatje meedenken. Als Cruijff de bal had moest je gewoon gaan lopen – erop rekenen dat hij de bal zou geven. Ik ging wel, ik stopte niet. Als je stopte werd-ie kwaad; dan had jij het gedaan. Johan moest natuurlijk wel altijd gelijk hebben.'

Duidelijkheid en geloofwaardigheid vormen het sluitstuk, de absolute voorwaarde voor alle andere factoren samen. Daarvoor geldt een aantal eenvoudige adviezen.

Allereerst: maak vooral de harde S-en van de cultuur – de strategie, structuur en systemen – niet te ingewikkeld. Johan's favoriete stopwoord is simpel: 't is eigenlijk allemaal heel simpel, simpel voetbal is het mooist maar ook het moeilijkst.

Niemand heeft iets aan ingewikkelde strategieën of aan logge overlegstructuren met allerlei mensen, wiens voornaamste taak het is elkaar bezig te houden. In het netwerkmanagement vervalt het verschil tussen lijn- en staffuncties: iedere lijnmanager wordt geacht ook zijn eigen denkwerk te doen. De spelers op het veld moeten de problemen oplossen.

> Kurt Linder, trainer: 'Zijn kracht is – en daarom vindt hij dat hij altijd gelijk heeft – dat hij in staat is alle problemen op het veld in zijn eentje op te lossen. Hij heeft niemand nodig.'

> Piet Schrijvers, keeper: 'Hij bleef ook altijd heel rustig als hij zag dat het in het veld niet goed ging. Dan liet hij zich ver terugzakken en dan kopte of speelde hij de bal in de zestien terug op mij. Daar hoefde ik niet voor te bukken, die bal kon ik gewoon in mijn handjes vangen, en dan kon ik de tijd nemen.'

In de tweede plaats geldt nog onverkort het aloude gezegde *'Schoenmaker, blijf bij je leest'*. Cruijff is een voetballer, speler of coach. Dat vak kent hij. Hij zal ongetwijfeld aardig kunnen meepraten over, zeg, korfbal maar dat vak beheerst hij niet. Hij verloor met tafeltennis van Klaas Nuninga, ooit tweede bij de Noordelijke jeugdkampioenschappen. Dat is een verdienstelijk niveau maar geen wereldtop. Wie leiding wil geven aan wereldtoppers, moet zijn vak beheersen. En als je een onderdeel van je vak niet voldoende beheerst, moet je zorgen dat er een ander binnen je team is die dat wel doet. Johan liet daarom de looptraining over aan anderen.

Marco van Basten had ook niet zo veel aan hem als het ging om de 'verstandhouding' met agressieve mandekkers: 'Hij heeft wel eens advies gegeven, maar deze dingen heeft hij zelf nooit zo best gedaan, vind ik. Toen hij nog voetbalde heeft hij zat gele kaarten gehad omdat hij in het veld liep te ouwehoeren. Wat dat betreft is hij dus geen goed voorbeeld.'

ALS REKENMEESTER

'Ik heb altijd geprobeerd te streven naar een selectie van achttien. Waarom achttien? Nou, dan zijn er meer blij met me dan er niet blij met me zijn.'

'Als jij vier mensen achterin houdt, tegen één spits, kom je er ergens twee tekort. Dus heb ik altijd, wanneer en hoe dan ook, gespeeld met een verdediger meer dan de tegenstander aan spitsen had.'

Je hebt drie punten achterstand? 'Nee. Twee. Want wij hebben een beter doelsaldo.'

Na een verloren wedstrijd: 'Je kunt de punten beter in het begin verliezen dan aan het eind tekortkomen.'

'Je kunt niet met twee spitsen spelen, want dan krijg je oneven getallen en kan een elftal nooit functioneren.'

'Vier achter en vier op het middenveld kan nooit functioneren. Je driehoeken vallen weg. Je moet altijd driehoeken hebben, want alleen dan heb je constant twee afspeelmogelijkheden.'

'Als je met tien punten verschil kampioen wordt, neem je die niet mee naar het volgende seizoen.'

'Een veld is zestig meter breed. Er is bijna niemand die met één pass zestig meter kan overbruggen. En kan hij het wel, dan is die bal zo lang onderweg, dat je 'm altijd onderschept.'

'Als je één doelpunt meer maakt dan je tegenstander, dan win je de wedstrijd.'

'Het veld is nu eenmaal zo lang en zo breed en je kunt er maar elf opzetten. Je hebt tien veldspelers en nu hebben we er een halve bijgepikt. Het eindpunt

is elf veldspelers, dus met een vliegende keep. Dat gaat misschien net iets te ver.'

'Je ziet wel eens mensen, die lopen dan daar naar toe en als ze net daar komen, dan komt die bal weer hier en dan komen ze hier naar toe en dan gaat de bal net daar naar toe. Ik zeg: blijf nu staan, dan sta je in ieder geval de helft van de tijd op de goede plek.'

'Bergkamp speelde ver onder nul.'

Je moet ook in je vak en je team willen investeren zoals meesterschoenmakers dat deden. Bij de overheid roteren topambtenaren binnen drie jaar naar een nieuwe functie. In drie jaar krijg je de kennis en de kennissen, die voor topsport vereist zijn, niet op orde. Het is hetzelfde als in het topvoetbal waarvan Johan zei: 'Hoofdtrainers zijn passanten. Ze willen snel resultaten en zijn niet geïnteresseerd in het beleid van de club.' In drie jaar kun je een nieuwe visie ook geen handen en voeten geven. Zowel Michels als Cruijff hadden daar langer voor nodig.

> Na vijf jaar Cruijff bij Barcelona constateerde Ronald Koeman in 1993 dat het leerproces nog lang niet voltooid was: 'Er zijn maar weinig spelers die het allemaal begrijpen. We hebben goede voetballers, maar als we problemen krijgen, is het altijd moeilijk om wijzigingen in het spel aan te brengen. Cruijff heeft het idee dat we moeten wisselen zodra een tegenstander gewend is aan de posities. Dat werkt wel eens tegen ons. Cruijff gelooft zelf dat wij daar baat bij hebben. Het is niet slecht, maar soms zet hij te veel om. Dan zijn er spelers die absoluut niet meer weten wat er moet gebeuren.'

Misschien wel belangrijker dan alle andere punten samen is tenslotte de *voorspelbaarheid* van de leider. Zijn maten weten wat ze aan hem hebben. Ze kunnen ook anticiperen op wat er van hen wordt verwacht. Die voorspelbaarheid heeft drie kanten. In de eerste plaats is er de zekerheid van rugdekking voor al degenen die in de discipline spelen, zoals dat in Cruijff's termen heet. Normaal zouden we zeggen: loyaal hun taken uitvoeren, mensen waarop je kan rekenen. Een citaat van Arnold Mühren benadrukt paternalistisch maar toch mooi waar we het al vele malen over hadden: 'Hij zei altijd: "Slecht spelen kan de beste overkomen, zolang ik maar zie, dat je je taak uitvoert en zo goed mogelijk je best doet."'

Er zitten echter meer kanten aan de voorspelbaarheid van de leider. Een leider moet duidelijk zijn: zeggen wat hij doet en doen wat hij zegt. Hij mag daarom niet te veel prioriteiten stellen: zeker op afstand – te midden van de kleinere radertjes in de organisatie – wekt dat verwarring.

Ben Wijnstekers, in het ene jaar dat Cruijff bij Feyenoord speelde, legt dat uit: 'Als back kwam je toen veel meer op dan tegenwoordig, en als Johan erbij was, kon je altijd gaan, omdat je wist dat de bal zou komen. Dat gaf veel zelfvertrouwen, omdat je niet de angst had dat je balverlies zou lijden, waarna je als een speer weer terug moest.'

Schoenmakers zijn geen visboeren. Het is merkwaardigerwijs nog steeds niet volledig doorgedrongen buiten het voetbal. Sterk gediversifieerde bedrijven met een veelheid van producten en sterk verschillende afnemersgroepen zijn zowel naar binnen als naar buiten vaak te onduidelijk. De maten weten niet meer waar het bedrijf voor staat en welke richting het op gaat. Is een superieure productiebeheersing nu het belangrijkste – zoals bij de consumentenproducten? Of zijn ze het allebei, plus die van nog vier andere poten in het bedrijf? Als het antwoord onduidelijk is, houden de maten er na verloop van tijd mee op en doen ze maar wat.

Ik zag dat ooit fraai geïllustreerd in een textielweverij. Als de baas daar zei 'Kwaliteit staat voorop', dan zette de man aan de machine, als hij een foutje vermoedde, de productie even stop voor controle. Als de baas zei 'We moeten volume maken', dan draaide hij gewoon door en vertrouwde op het normale keuringsproces. Wat moest hij echter doen als de baas had gezegd 'Kwaliteit en volume zijn voor ons de belangrijkste zaken'?

Wijnstekers vond daarom het spelen met Cruijff een genot. 'Ik had nooit het gevoel dat ik voor niets de diepte inging, want zijn pass kwam altijd op maat. Ik heb niet voor niets in dat jaar mijn beste wedstrijden gespeeld.' Toch was de grootste beneficiënt André Hoekstra, die vierentwintig doelpunten scoorde en het zelfs schopte tot het Nederlands elftal dat in maart 1984 Denemarken met 6-0 versloeg. Zijn teamgenoot Hans Eijkenbroek vat het kleurrijk samen: 'Hoekstra kon gewoon gaan lopen, dan zei Cruijff: "Daar komt-ie!" en dan legde hij de bal zo op zijn stropdas.'

De voorspelbaarheid van de leider heeft nog een derde dimensie. Dat is de aan zekerheid grenzende waarschijnlijkheid die hij zijn maten biedt, dat hij een moeilijk probleem wel zal oplossen. Dat is ook de reden waarom de beste man ook de aanvoerder moet zijn, u herinnert het zich.

Sommige ondernemers worden om die reden door hun mensen op handen gedragen. Hun faam neemt magische proporties aan, zij kunnen alle seizoenen over water lopen. Als hun opvolging niet goed geregeld is, hoor je nog jaren de verzuchting: 'Als Meneer Piet er nou nog was, dan...' Het is slechts weinigen gegeven om al tijdens hun actieve carrière deze verheven status te bereiken. Johan Cruijff is een van hen. Het laatste citaat vat alles samen wat hiervoor is gezegd. Het is afkomstig van Peter Boeve.

Als jonge speler stond hij op de linksbackplaats, toen Cruijff zich in 1981 weer bij het Ajax-team voegde. Vele malen daarvoor was hij in het kader van het totaalvoetbal langs de zijlijn naar voren gesneld, bijna steeds tevergeefs omdat hij eenvoudigweg de bal niet kreeg. Dat is een frustrerende maar ook vermoeiende ervaring, die ongetwijfeld tot vreugde bij zijn directe tegenstanders heeft geleid.

En toen kwam Cruijff. Luister wat duidelijkheid en geloofwaardigheid betekenen vanuit het perspectief van de maten:

> Peter Boeve, medespeler: 'Ik luister graag naar hem, want hij heeft het voetbal toch uitgevonden? Als ik mee naar voren ga en ik sta er goed voor, dan krijg ik die bal ook van hem, omdat hij weet dat er een voorzet komt. Het punt is dat ik in het begin ook mee naar voren ging, maar toen werd ik overgeslagen.'

Boeve en zijn medespelers bewogen voordat Cruijff de bal trapte. Leiderschap is effectief wanneer een organisatie anticipeert op de bedoelingen van de leider en daarop handelt. Dat is – denk ik – de werkelijke les van Johan Cruijff, als voetballer en als coach. De spelers moeten je willen begrijpen en willen meedenken. Ze moeten ook willen en kunnen handelen, zelfs zonder instructie van boven. Dat stelt hoge eisen aan de leider. Alleen echte mensen mogen hopen de vonk te laten overslaan op hun maten.

Johan Cruijff is zo'n echte mens. Ooit zei hij aan het slot van een interview tegen een totaal verbouwereerde journalist: 'Als ik zou willen dat je het begreep, zou ik het wel beter hebben uitgelegd.' Ik hoop dat u dat gevoel niet heeft.

BRONNEN

Frits Barend en Henk van Dorp, *Ajax, Barcelona, Cruijff* (Contact, Amsterdam; 2000).

Jimmy Burns, *Barça: De passie van een volk* (Thomas Rap, Amsterdam; 2000).

Hugo Camps, in *De benen van mijn broer: Verhalen over voetbal* (Hermans Muntinga Publishing, Amsterdam/Hoorn; 1999).

Johan Cruijff, *Ik houd van voetbal* (Uitgeverij BZZTôH, Den Haag; 2002).

Henk Davidse en Henk ten Berge, *Johan Cruijff is ongeneeslijk beter* (Uitgeverij BZZTôH, Den Haag; 2000).

David Endt, *De Godenzonen van Ajax* (Thomas Rap, Amsterdam; 1993).

Bert Hiddema, *Cruijff! Van Jopie tot Johan* (Contact, Amsterdam; 1996).

Mickey Huibregtsen, *In gesprek met de Rest van Nederland* (De Fontein, Utrecht; 2003).

Frits Huis, *Ik mag Johan zeggen: Notities van een Ajax-seizoenkaarthouder* (Nieuws van de Dag, Amsterdam; 1995).

Guus de Jong en Jaap Visser, *Johan Cruijff, De Ajacied: 9 maal 14 – de Amsterdamse gloriejaren* (Tirion, Baarn; 2003).

Auke Kok, *Balverliefd* (Thomas Rap, Amsterdam; 2000).

Frank van Kolfschooten, *De bal is niet rond* (L.J. Veen, Amsterdam; 1998).

Arnold Mühren met Jaap de Groot, *Alles over links* (PR Sponsor Sport Publiciteit, Hoornaar; 1989).

Matthijs van Nieuwkerk en Henk Spaan (redactie), *Hard gras: In Barcelona* (L.J. Veen, Amsterdam; nummer 29, december 2001).

Jan Oudenaarden, *Feyenoord, een beeld van een club* (Phoenix & den Oudsten, Rotterdam; 1994).

Thomas J. Peters en Robert H. Waterman, *In Search of Excellence* (Harper & Row, New York; 1982); Nederlandse vertaling: *Excellente ondernemingen, kenmerken voor succesvol management* (Veen, Utrecht; 1983).

Rik Planting, *Lucky Ajax, de eregalerij* (Thomas Rap, Amsterdam; 1996).

Rik Planting, *Leerschool Ajax* (Thomas Rap, Amsterdam; 2001).

George Plimpton, *The X Factor* (Whittle Direct Books, Knoxville, Tennessee; 1990).

Nico Scheepmaker, *Voor Oranje trillen al mijn snaren: Markante beschouwingen over het Nederlands elftal* (Uitgeverij Scheffers, Utrecht; 1994).

Nico Scheepmaker, *Cruijff, Hendrik Johannes, fenomeen* (De Arbeiderspers, Nijgh & Van Ditmar, en Em. Querido's Uitgeverij, Amsterdam; 1997).

Harry Vermeegen, *Voetbal & Co* (A.W. Bruna Uitgevers, Utrecht; 2001).

Klaas Vos, *Ik heb nog met Johan Cruijff gespeeld* (Anthos, Amsterdam; 1997).

David Winner, *Het land van Oranje: Kunst, kracht en kwetsbaarheid van het Nederlandse voetbal* (Bert Bakker, Amsterdam; 2001).

Pieter Winsemius, *Speel nooit een uitwedstrijd* (Veen, Utrecht; 1988).

Pieter Winsemius en Annemarie Haverhals (redactie), *De Publieke Zaak in de 21e eeuw: een zaak van respect en bezieling* (De Publieke Zaak, Amsterdam; 2003).

Het jaar van de strafschop: De beste voetbalverhalen uit Panorama 1995-1996 (Anthos, Amsterdam/Panorama,1996).

Johan Cruijff: Levende legende (*Voetbal International*, nr. 1; 1991).

Coachend leiderschap (videobanden van managementseminars georganiseerd door Focus Conferences BV, Amsterdam, 1999, 2000, 2001).

Ajax, Seizoengids 2003-2004.

Profiel, themabijlage *NRC Handelsblad* ter gelegenheid van de vijftigste verjaardag van Johan Cruijff, 17 april 1997.

Voetbal International, 12 november 2003.

Vrij Nederland, 8 september 1990.

INDEX OP PERSONEN